BISUTERÍA

IDEAS PARA IR A LA ÚLTIMA

BISUTERÍA

IDEAS PARA IR A LA ÚLTIMA

Christa Nölling · Kyra Stempell

Bath · New York · Singapore · Hong Kong · Cologne · Delhi · Melbourne

Producción: ditter.projektagentur Gmbh
Coordinación del proyecto: Michael Ditter
Fotografía: Ruprecht Stempell
Modelos: Katja Janzon, Svenja Nölling-Petry, Jenny Cremer
Maquetación de la edición original: Christa Nölling
Litografía: Klaussner Medien Service GmbH

Copyright © de la edición en español (2007):
Parragon Books Ltd
Queen Street House
4 Queen Street
Bath BA1 1 HE, UK

Traducción del alemán: Pablo Álvarez Ellacuria para LocTeam, S. L., Barcelona
Redacción y maquetación de la edición en español: LocTeam, S. L., Barcelona

Agradecemos su colaboración a:
Bettina Flügel, (tienda de manualidades Bettinas Bastelstübchen, 50181 Bedburg), por la provisión
de material;
Heike Döring, Bedburg-Kaster, por su asesoramiento en el apartado de fieltro;
Gisela Schanzenberger, por su asesoramiento y asistencia en los apartados de materiales naturales
y cuentas de vidrio.

ISBN: 978-1-4075-0458-2
Printed in Indonesia

Índice

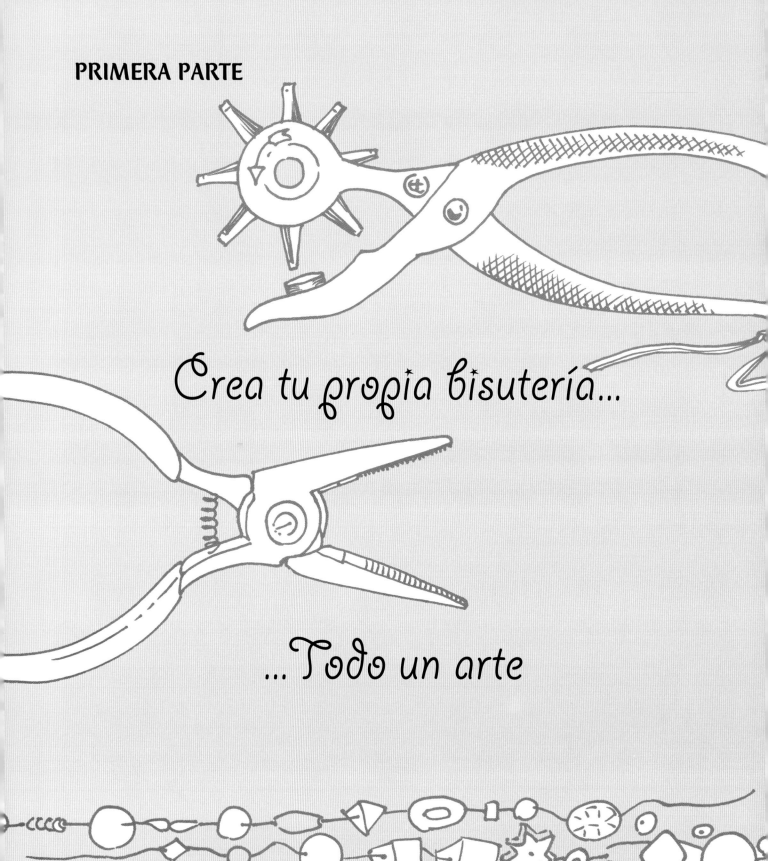

PRIMERA PARTE

Crea tu propia bisutería...

...Todo un arte

¿Por qué nos fascinan las joyas?

El deseo de embellecerse es tan antiguo como la Naturaleza misma. Además, el uso de adornos no está reservado al ser humano; no tenemos más que pensar en el estallido de colores de las flores, que tan atractivas resultan para las abejas, o el exuberante plumaje de los pájaros. Así que no es de extrañar que también el ser humano haya descubierto la importancia de los ornamentos.

La historia de las joyas

A lo largo de la historia, las joyas han sido siempre un importante símbolo del poder, la jerarquía y la religión. La habilidad artesanal de una época tiene su reflejo en sus piezas y objetos de adorno.

Saber quién se adornaba con qué es además una clave importante para conocer los valores y el estado de progreso de una cultura.

En un principio, los abalorios y demás ornamentos no eran sino amuletos con los que protegerse del peligro y perpetuar la suerte. Con el paso del tiempo su utilidad fue mutando hacia la expresión estética y la presentación de la propia personalidad. Buena parte de lo que hoy sabemos sobre la historia de los adornos se debe a la tradición funeraria. No era bueno que los muertos transitasen al más allá con las manos vacías, y por ello se colocaban en sus tumbas opulentas ofrendas, entre ellas joyas diversas.

Otra fuente importante de información son las representaciones en la escultura, los relieves y la pintura, en las que se refleja la tradición ornamental de las diversas culturas.

En la actualidad, y a partir de las similitudes entre piezas ornamentales, podemos determinar qué culturas mantenían relaciones comerciales entre sí. Esta forma primitiva de trueque internacional fue el punto de partida para nuevas creaciones e inspiraciones. El intercambio no se limitó a los materiales: también hubo trueques de ideas y técnicas artesanales.

En algunos yacimientos de la Edad de Piedra se han hallado caracolas coloreadas y perforadas, que posiblemente se llevaban a modo de collar.

Las numerosas posibilidades que se abrieron con el uso de los metales y el vidrio, iniciado durante la Edad de Bronce y desarrollado durante las épocas siguientes, tuvieron como resultado una variedad cada vez mayor de formas ornamentales. La perforación de cuentas de materiales preciosos se inició en Egipto 3.500 años antes de Cristo. Pero ya entonces empezó también la búsqueda de métodos con los que solventar la escasez de materiales y la experimentación con nuevas materias primas. Comienza entonces la historia de la bisutería.

La bisutería: un fenómeno con historia

La historia de la bisutería y su desarrollo guarda una fascinante correlación con la historia y el trasfondo moral de cada época. Los años de bienestar y paz se han visto casi siempre acompañados de una gran diversidad artística y del deseo de adornarse, así como de importantes avances en las habilidades artesanales. Tales épocas se han caracterizado también por la aparición de una amplia clase media en el seno de la sociedad. De este modo, el adorno dejaba de ser patrimonio exclusivo de la nobleza y pasaba a formar parte de la vida de buena parte de la población.

Los **fenicios** y **etruscos** conocían ya el arte de confeccionar suntuosas joyas a partir de materiales semipreciosos. Desarrollaron una especie de pan de oro con el que hacer recubrimientos y se convirtieron en

verdaderos maestros en la imitación de piedras preciosas. Cada cultura, sin embargo, contaba con características propias: mientras que para los griegos el material era más importante que la forma, los etruscos preferían las representaciones minuciosas y naturalistas.

Durante el **helenismo**, las joyas y adornos experimentaron un punto álgido. Las amplias clases medias de la Antigüedad griega sentían pasión por los motivos y formas ornamentales de todo tipo: cadenas, pendientes, tiaras y diademas, redecillas, colgantes, brazaletes y anillos eran muy apreciados. En su confección se empleaba oro, metales diversos, perlas, granates, esmeraldas y amatistas.

Para los **romanos**, por el contrario, los ornamentos eran simplemente un símbolo de categoría social. Pese a ello, existían también anillos con engastes de vidrio hechos de cobre, hierro y bronce, habituales entre las clases menos favorecidas. De aquella época proceden unas cuentas cerámicas pintadas y pulidas que guardan gran parecido con las perlas verdaderas.

Con la caída del Imperio romano occidental concluyó también el primer auge de la bisutería. El siguiente impulso llegaría de **Bizancio**, conocida más adelante como Constantinopla y en la actualidad bajo el nombre de Estambul, ciudad a la que se retiraron muchos de los eruditos y artistas del mundo occidental. Aquella época trajo consigo el perfeccionamiento del esmaltado, el *opus interrasile* o interrado (revolucionaria y exquisita técnica) y de los mosaicos. En muchos de los ornamentos pueden apreciarse ya motivos cristianos.

«*La Naturaleza
no crea nada sin
significado.*»

Aristóteles

especial repercusión en las artes. Característica de aquella época es la voluntad de tomar la época clásica como base sobre la que crear algo nuevo. Los eruditos griegos, huidos a Venecia y otras ciudades italianas tras la caída de Constantinopla en manos de los turcos en 1453, se llevaron consigo el conocimiento sobre la cultura de la Antigüedad helena.

El vestido y el adorno empezaron, por vez primera, a desarrollarse en paralelo y a influir mutuamente en su diseño. Por otra parte, desde finales del siglo XIV empezó a popularizarse la técnica del tallado de diamantes, que fueron empleándose cada vez más en joyería.

En aquel entonces, los artesanos mantenían todavía una fuerte dependencia respecto de sus nobles clientes, pero el deseo de lucir costosas joyas fue extendiéndose entre la población. Venecia fue uno de los principales centros de creación ornamental de aquella época. En la ciudad se comerciaba con perlas y piedras preciosas, pero su verdadera importancia radicaba en el arte de la elaboración del vidrio y la confección de perlas artificiales. Los metales dorados y las piedras coloreadas supusieron un importante impulso para los artesanos. El cristal fabricado en la isla de Murano conserva en la actualidad su merecida fama.

Sobre Europa se abatió una época en la que la ornamentación perdió buena parte de su importancia. Las migraciones de los pueblos germánicos (375-568) impidieron el sosiego del territorio, y durante los casi mil años de la Edad Media, las joyas se emplearon exclusivamente como moneda de cambio y no como ornamento. La preponderancia de la nobleza y las estrictas leyes que determinaban la confección de nuevas joyas hacían imposible el avance artístico y artesanal de los objetos de adorno.

Renacimiento de la joyería

El **Renacimiento**, al recuperar el impulso cultural de la Antigüedad, dio paso a una nueva época de esplendor para el adorno del cuerpo; desde el siglo XIV en adelante, este fenómeno cultural tuvo

Libertad barroca

Tras los largos periodos de guerra de la primera mitad del siglo XVII, la situación política y económica de Europa volvió a estabilizarse. Una vez más surge el deseo de mayores lujos y piezas de adorno más llamativas. Comienza entonces el **Barroco**. La moda tiende a recortar las mangas, lo que supone una mayor superficie a cubrir con joyas. Se amplían las relaciones comerciales, se importan piedras preciosas y se les asigna un significado ideal; en esta época ya aparecen las primeras modas pasajeras. Dos descubrimientos sensacionales hacen posible este proceso. Por una parte, Francia populariza un método para la imitación de perlas, en el que se pintan cuentas redondas con una solución de escamas de pescado y se recubren con cera. Por otra, en 1675, el químico **George Ravenscroft** crea el cristal de plomo, un vidrio plúmbeo de características similares a las de las piedras preciosas que puede ser tallado fácilmente. Nacen así las cuentas de vidrio. Ya nada puede detener el avance de la bisutería.

El *strass* y el oro de Pinchbeck

La **Revolución Industrial** comienza en el siglo XVIII en Inglaterra y desde allí se extiende durante el siglo XIX por Europa y Estados Unidos. El inglés James Watt inventa la máquina de vapor, que hace posibles nuevos procesos de producción y propicia la aparición de las primeras fábricas. Paulatinamente desaparecen las barreras sociales entre la nobleza y la burguesía y hace su aparición una boyante clase media. Tales acontecimientos potencian tanto la producción de bisutería como la demanda de la misma. Por entonces empieza a establecerse la distinción entre joyas de día y de noche. Las primeras revistas femeninas (coloreadas todavía a mano) dan cuenta de las cambiantes modas y propician el deseo de novedades.

También por aquel entonces **Georges Frédéric Strass** presenta el llamado diamante *strass*, cuyo influjo sobre la moda alcanza hasta nuestros días. Sus creaciones encontraron una enorme aceptación no sólo entre la burguesía acomodada sino también entre

la nobleza. En el año 1734 fue distinguido con el título de Joyero del rey. De este modo, la bisutería obtenía el reconocimiento real. Strass se atrevió incluso a copiar auténticas piedras preciosas y a presentar las imitaciones en su tienda junto a los originales. La perfección y brillo de los primeros quedaba así de manifiesto, puesto que las diferencias entre unas y otros apenas eran distinguibles para el lego.

De modo paralelo a estos acontecimientos, el relojero londinense **Christopher Pinchbeck** desarrolló una aleación de cobre y cinc a la que se dio el nombre de *oro de Pinchbeck*. La aleación tenía un aspecto idéntico al del oro pero podía trabajarse con mayor facilidad, resultaba muchísimo más asequible y se prestaba a su uso en la producción en serie. Pronto empezó a emplearse predominantemente en la fabricación de hebillas de calzado y carcasas de reloj, combinado a menudo con diamantes *strass*.

Cambios en la moda

Tanto en Europa como en América se sucedieron largos años de inestabilidad y guerra en los que el lujo pasó a segundo término. Surgieron diversas corrientes de ámbito regional que reflejaban el ánimo y la situación política y económica de cada país. El poder adquisitivo disminuyó, con lo que de nuevo la adquisición de joyas auténticas quedó exclusivamente en manos de la nobleza y las capas más altas de la sociedad. Al mismo tiempo, el proceso industrial había seguido avanzando y las técnicas desarrolladas por Strass y Pinchbeck fueron perfeccionadas. La bisutería de acero, que por entonces gozaba de gran predicamento, empezó a producirse casi exclusivamente de manera industrial a partir de 1830. Los plásticos, el caucho y el aluminio ampliaron el espectro de los materiales no nobles empleados durante el siglo XIX. La creación de bisutería devino más y más individual, y el ritmo de aparición de nuevas corrientes y modas se aceleró considerablemente.

El Modernismo: comienzo de una nueva era

Hacia finales del siglo XIX el deseo de una nueva forma de expresión artística se hizo más y más evidente. Había llegado el momento de mayores individualismos, de alejarse de formas y parámetros estrictos. La hora del **Modernismo** había llegado.

El joyero y diseñador **René Lalique** empezó a crear en 1895 un nuevo paradigma para la profesión al tomar como modelos las cambiantes formas de la naturaleza: plantas, flores, insectos, peces... Sus materiales preferidos eran el vidrio, el esmalte, el nácar, el marfil y el cuerno. Anteponía claramente el valor

los colores fríos y rotundos y una sobriedad que pese a todo no renuncia a la sensualidad. Las mujeres de la época se han emancipado y, llenas de confianza, desean dejar constancia de ello también en la moda. La bisutería diseñada durante las décadas de los veinte y treinta apuesta por una estética fría y por la extravagancia. Los metales nobles se combinan con el cromo, el jade, el ébano, el azabache y las materias plásticas. Los artistas optan por representaciones abstractas de frutos, hojas y flores, así como por formas geométricas y elementos propios del cubismo.

«He liberado el cuerpo de la mujer»: con el mismo aplomo que sus clientas se presentaba **Gabriella** *Coco* **Chanel** ante la opinión pública. Emancipada, independiente, con metros y metros de perlas de imitación al cuello, joyas falsas y cabellos cortos se convirtió en el ejemplo a seguir para muchas mujeres. Esta moda se vio apoyada por el asequible precio de las perlas cultivadas con las que Japón inundó el mercado a partir de 1920. Peinetas, prendedores, broches y pendientes completaban la imagen de la mujer. Durante un tiempo estuvo de moda limitar la paleta de colores al blanco y negro en vestuario. En combinación se usaban diamantes y cristales de roca junto con ónices y lacas negras.

Christian Dior pasaba por ser otro ardiente defensor de la bisutería, ya que la consideraba un elemento más de la moda, independiente de la joyería «auténtica». La fantasía y el exceso eran para él características deseables. A este respecto merece mención especial la Maison Schiaparelli, fundada en 1928 por la italiana **Elsa Schiaparelli**. El cierre de los vestidos, los botones y las trabillas se convertían en sus manos en elegantes adornos de madera, porcelana, cristal y ámbar.

artístico de la pieza al mero valor material; esta actitud le granjeó un enorme éxito. Otros importantes diseñadores de la época fueron **Georges Fouquet**, creador en exclusiva de bisutería para la actriz Sarah Bernhardt; **Lucien Gaillard**, muy inspirado por el arte japonés; y la Maison Vever, la empresa de los hermanos **Paul** y **Henri Vever**.

El nombre del diseñador se convirtió en marca distintiva, y el culto en torno a las grandes actrices y bailarinas de revista dio pie a un extraordinario auge de la bisutería. Las cuentas de *strass* volvieron a gozar del favor del público, y **Daniel Swarovski** conquistó el mundo de la moda con sus piedras tirolesas talladas.

Art déco: nuevos impulsos

En 1925 se inauguró en París una exposición bajo el lema «Exposition Internationale des Arts Décoratifs», a la que debe su nombre el *art déco*. Lo más destacado de aquella época son las líneas claras y elegantes,

En Alemania la **Bauhaus de Weimar** (1919) marcó profundamente el diseño de la bisutería. Esferas, conos, cuadrados y rombos fueron las formas y motivos predominantes. En **Estados Unidos**, el mercado de la bisutería mantuvo su importancia durante la crisis económica de los años treinta y cuarenta. La principal demanda: claridad y alegría, expresadas en piedras semipreciosas y metales de colores vivos. Durante la Segunda Guerra Mundial, la producción de bisutería continuó casi en exclusiva en Estados Unidos. Como consecuencia de la escasez de materiales, la plata, el acero, el cuerno, el hueso y la madera pasaron a ser los materiales más empleados. **Dior** presentó su primera colección de bisutería, **Trifari** diseñó flores de montura invisible... Pero la bisutería fue perdiendo paulatinamente su exuberancia estética y se convirtió de nuevo en un mero objeto material.

Tendencias cambiantes

Con la mejora en las condiciones de vida experimentada en la década de los cincuenta fue recuperándose la demanda de ornamentación. El principal centro de producción seguía anclado en Estados Unidos. Los diamantes estaban de moda entre las clases más pudientes, y la bisutería era omnipresente. Las casas de moda más famosas de la época (**Dior**, **Trifari**, **Tiffany** y también **Chanel**) crearon nuevas colecciones acordes al espíritu de los tiempos. Los años sesenta vivieron el resurgir del oro, combinado con piedras preciosas y semipreciosas en llamativas creaciones.

La **tendencia hacia el individualismo** se hizo más acusada. Diversos grupos sociales intentaban manifestar su ideología también a través de su atuendo. *Hippies*, *punks*, los seguidores de la estética *disco*...; todos ellos tenían una concepción vital propia y procuraban expresarla a través de adornos únicos e inconfundibles. La joyería auténtica debía ser intemporal, mientras que el ánimo de cada momento podía ser expresado con bisutería. Para ello se recurría a formas ornamentales ya conocidas: los *hippies* optaron por los adornos indios como modelo; la moda *disco* se caracterizó por el brillo de los falsos brillantes y el metal; las ejecutivas lucían broches *art déco*; y los *punks* optaron por los remaches, el cuero y el metal.

En la actualidad se mantiene la tendencia hacia la individualidad, que ya ni siquiera se orienta a la pertenencia a un grupo. Cada uno de nosotros puede optar por su propio estilo. Si a alguien le gusta el oro, puede renunciar a la plata. Quienes tengan debilidad por los ornamentos grandes y llamativos no tienen que esperar ya a que vuelvan a ponerse de moda. En cada uno de nosotros habita un pionero de la moda.

Los materiales

Perlas de vidrio

Las perlas son un placer para los sentidos. Nos permiten soñar; captan y reflejan la luz. Las perlas son siempre distintas. Relucen mansas, destellan majestuosas o se ocultan modestas.

Las perlas son el reflejo de nuestro ánimo. Éste es uno de sus secretos. El otro es su génesis. Ni siquiera hoy sabemos con seguridad cómo se forman las perlas auténticas en el interior de las ostras. Se dice que cuando una ostra está herida, en su interior se cuela un grano de arena que a veces se convierte en una perla maravillosa. Las perlas conservan su misterio y nos regalan su belleza.

Las perlas o cuentas de vidrio, sin ser tan valiosas, no dejan de ser fascinantes. No existen límites en lo que respecta a la forma, el color y las combinaciones: las hay de rocalla, de pasta vítrea, cuentas Swarovski®, roseta y de muchos más tipos.

En la combinación de las cuentas es muy importante prestar atención a la armonía de los colores. Muchas veces comprobarás que menos es más. Lo mejor es que luzcas la bisutería de cuentas con prendas de colores poco llamativos, puesto que realzan su hermosura y, lo que es más importante, también la tuya.

Materiales naturales

La bisutería natural es expresión de regreso a los orígenes. La Naturaleza y sus criaturas se renuevan constantemente, para llamar la atención de sus congéneres o como medida de protección. A nosotros nos fascina el cambio constante de la apariencia propia.

La Naturaleza invita a menudo a la imitación, y ofrece materiales como la madera, las plumas, las conchas, las piedras, el cuero y el metal para seguir su ejemplo. Cada uno es extraordinario en sí mismo, pero además pueden ser combinados en creaciones nuevas y sorprendentes.

El carácter natural de estos materiales es fuente constante de inspiración para formas personalizadas de adorno basadas en la observación y exploración del entorno. ¡Te sorprendería comprobar todo lo que se puede descubrir a lo largo de un paseo por el bosque o la playa!

Fieltro

Los adornos de fieltro son muy llamativos y particulares. El intensivo tratamiento al que se somete el material hace que surjan a menudo pequeñas obras de arte dotadas de vida propia. Toda pieza de adorno afieltrada responde en su mayor parte a los deseos del diseñador, sin embargo conserva rasgos y ademanes propios.

Lo más llamativo del fieltro es la trabajosa preparación de la lana. En este libro explicamos el afieltrado en húmedo con una solución jabonosa. Durante el afieltrado, la lana gana rigidez, al tiempo que son posibles las modificaciones del color, la forma y el motivo. El fieltro combina bien con cuentas y piezas metálicas, que lo dotan de un novedoso carácter.

Durante el proceso de afieltrado comprobarás que el material cambia entre tus manos y descubrirás nuevas posibilidades creativas y combinatorias. ¡El fieltro es fascinante!

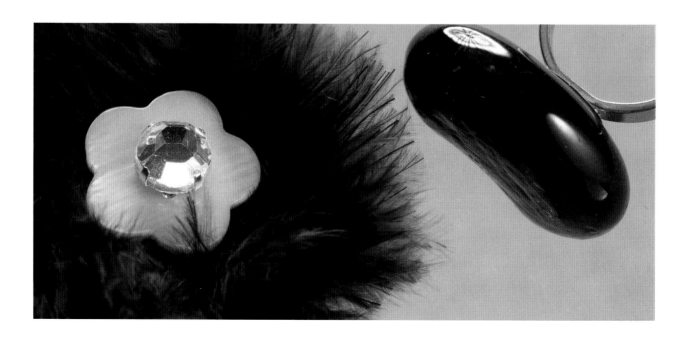

Pasta vítrea

La pasta vítrea es la pasión por el cambio. Varios centenares de granitos se convierten en elementos rígidos a los que es posible dotar de color y forma. Nada hay predestinado, todo puede ser combinado libremente.

Incluso una vez fuera del horno, es posible modificar el resultado siempre y cuando esté caliente. También se puede alternar el horneado con el modelado, para manipular y refinar con más facilidad la pieza que estemos creando.

La pasta vítrea es una sustancia artificial de escaso valor intrínseco. Las posibilidades que ofrece, sin embargo, pueden tener significados muy personales. Así, por ejemplo, se pueden crear amuletos con objetos de recuerdo flotando en ellos para cintos y collares a modo de recordatorio.

También es un excelente material para dar forma a regalos y detalles dirigidos a nuestros seres queridos.

«Basta con poner mucho amor al hacer algo para que la suerte se ponga de nuestro lado.»

Johannes Trojan

SEGUNDA PARTE

Crea tu propia bisutería...

... Así se hace

Crea tu propia bisutería... Así se hace

Todo material requiere herramientas y técnicas propias. Hay, sin embargo, algunas consideraciones generales que debes tener presentes para que tus creaciones salgan como deseas y resulten llamativas.

Algunos consejos

1. Lee con atención las indicaciones de este capítulo. Si mientras trabajas en una pieza no sabes cómo continuar, regresa a estas páginas.

2. Tómate el tiempo que necesites. Crear piezas de bisutería no es una actividad mecánica; debes dedicar toda tu atención a los materiales. En caso contrario, pierde toda su gracia.

3. Procura trabajar siempre con las manos limpias y secas sobre una superficie limpia y resistente.

4. Los cuadrados que aparecen junto al nombre indican el grado de dificultad de cada labor. Un cuadrado coloreado indica que la pieza es fácil; dos cuadrados, grado medio; tres cuadrados advierten de que se trata de verdaderas obras maestras. No tengas miedo y atrévete con ellas, pero familiarízate primero con las técnicas.

5. En nuestros ejemplos hemos empleado colores y formas concretos. Si te gustan más otras formas o colores, da rienda suelta a tu creatividad. Recuerda siempre que los colores han de armonizar entre sí. Tu bisutería no debe resultar chillona. Esto es especialmente aplicable a las cuentas, que llaman de inmediato la atención. ¡Menos es más!

Cuentas de vidrio

Existe una infinita variedad de cuentas de vidrio. Por ese motivo, a lo largo de este libro emplearemos cuentas muy distintas con todo tipo de colores y formas. Eso sí: siempre tienes la posibilidad de optar por otras variantes. En el libro encontrarás consejos y recomendaciones útiles, pero la creatividad corre a tu cargo.

A la hora de crear piezas de bisutería, hay algunas cuestiones que se deberían tener en cuenta. Una de ellas es que las cuentas grandes, relucientes y de colores vivos son lo más atractivo de la bisutería... pero son sustituibles.

Ahora bien, queda a la elección de cada uno el tipo de cuentas que quiera emplear. Hay que recordar, sin embargo, que existen cuentas más pequeñas y menos llamativas (las **cuentas de rocalla**, por ejemplo) que tienen una función muy importante: sirven para guardar distancias, para que el collar tenga buena caída, para conservar el equilibrio. Si en las instrucciones mencionamos estas cuentas es porque es imprescindible utilizarlas.

Existe también una gran variedad de cierres, y muy a menudo no es ni siquiera necesario utilizar una pieza específica de cierre.

A veces basta con conectar dos bucles creados con **chafas**. Las chafas son más discretas incluso que las cuentas de rocalla pero tienen una importancia incalculable: se enfilan antes y después de cada cuenta en una posición concreta y con ayuda de un alicate curvado se aplastan para que la cuenta quede fija en su posición.

También se puede enfilar una chafa al menos 1 cm antes del final del hilo o el alambre para doblar la punta de éstos, volverla a pasar por la chafa y cerrar esta última. Ya tenemos un bucle. Si pasamos un segundo bucle por el primero antes de cerrarlo habremos creado un cierre simple pero muy efectivo.

En los bucles pueden colgarse asimismo arandelas, que sirven como elemento de enlace con las piezas del cierre. Muy importante: al abrir las arandelas, no debemos doblarlas de lado, sino, ayudados con un alicate de puntas redondas y otro curvado, tirar de uno de los extremos hacia nosotros y del otro en dirección diametralmente opuesta. De este modo no se deforma la arandela y se mantiene estable.

A menudo usaremos también **alambre especial para bisutería**. Lo mejor para trabajar con alambre es enrollarlo en una bobina antes de trabajar con él. De ese modo se mantiene liso y puede ser desenrollado sin problemas. Una vez aparece un primer pliegue, el alambre no puede volver a alisarse.

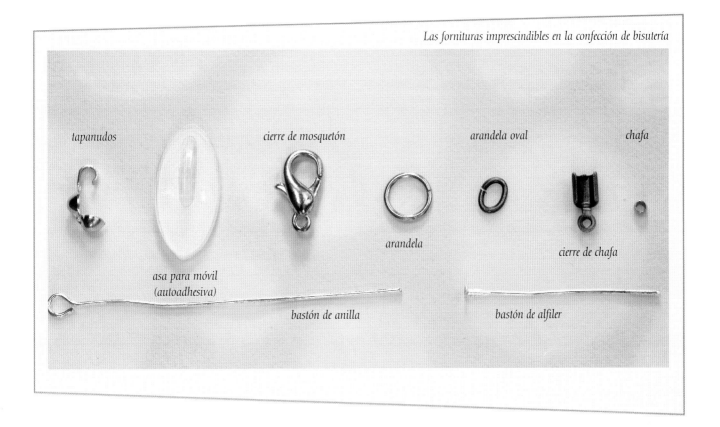

Las fornituras imprescindibles en la confección de bisutería

tapanudos   *cierre de mosquetón*   *arandela oval*   *chafa*

arandela

cierre de chafa

asa para móvil (autoadhesiva)

bastón de anilla   *bastón de alfiler*

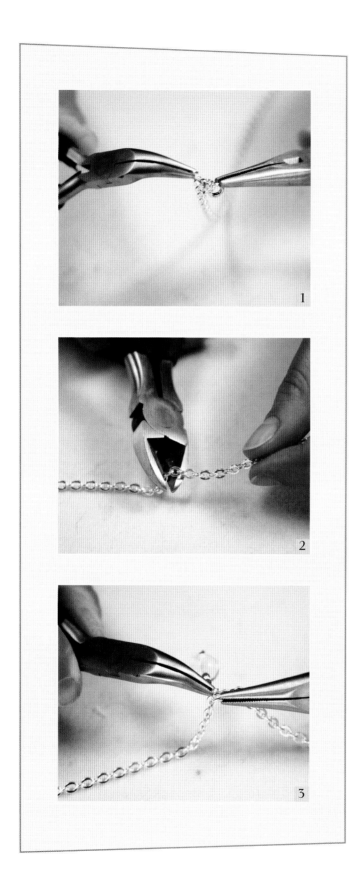

Herramientas

1. Un equipo ganador: el alicate curvado (1) y el alicate de puntas redondas. Mientras el primero sostiene la pieza, el segundo modela la arandela o dobla el alambre. Ambas herramientas son imprescindibles, sobre todo en el trabajo con cuentas.

2. El complemento a las dos anteriores es el alicate de corte diagonal. Con él resulta fácil hacer cortes limpios en cadenas y alambres.

3. De nuevo los dos alicates en acción. El alicate curvado pasa el bastón de alfiler por la arandela, mientras el alicate de puntas redondas forma un ojo con el extremo del bastón para fijar la pieza de adorno a la cadena.

«El engaste de una piedra preciosa aumenta su precio, no su valor.»

Ludwig Börne

Técnicas

4. Para fijar un elemento: se enfila la
chafa y se aplasta con ayuda del alicate antes y después de la perla. De
este modo, las perlas parecen colgar
«por libre» sobre el hilo o el alambre.
Si quieres formar un bucle, toma el
extremo del hilo, forma un arco que
regrese a la abertura de la chafa y
aplástala para cerrarla.

5. La imagen muestra la manera correcta
de abrir y cerrar una arandela por
torsión. Se toma ésta entre los dos alicates y se tira con uno de ellos hacia
el propio cuerpo mientras el otro tira
en dirección opuesta. De este modo la
forma original de la arandela no se ve
afectada y conserva su estabilidad.

6. Vemos aquí el extremo de un bastón
de alfiler. Tiene que quedar libre al
menos 1 cm para poder doblarlo con
ayuda de un alicate y formar un bucle.
Comprueba siempre que el bucle queda bien cerrado. Es posible pasar el
bucle por otro elemento, o bien colgar
de él una arandela que, a su vez, esté
conectada a la cadena o a una pieza
de cierre.

Materiales naturales

A continuación, hablaremos de los materiales que se encuentran en la Naturaleza: metal, cuero, plumas, nácar, rafia y lana. Es muy fácil integrar en nuestras creaciones otros elementos como conchas, madera y demás materiales naturales; gracias a sus tonalidades neutras, este tipo de elementos armonizan muy bien entre sí.

Puedes conseguir un efecto particularmente elegante combinando diversos matices de un mismo color en diversas formas; así lograrás que tu diseño destaque.

La manera de trabajar con estos materiales es muy variada. No existe una técnica estándar: todo lo que nos guste es válido.

Es importante resaltar en este capítulo el trabajo con **remaches** y **arandelas**. Existen diferentes técnicas de uso de estos elementos en función de la herramienta que vayamos a utilizar.

Lo primero es abrir los agujeros. Para ello te hará falta un **sacabocados** y un pedazo de cuero grueso, que colocarás bajo la pieza que estés trabajando y sobre la parte inferior del sacabocados. Aprieta entonces para abrir el agujero; de esta manera protegerás la cuchilla del sacabocados.

Los remaches y arandelas pueden encontrarse en tiendas especializadas en bisutería y manualidades. En cada paquete se incluye una sencilla herramienta con instrucciones, aunque si la utilizas, te hará falta también un martillo para fijar los remaches en los agujeros. Trabaja siempre sobre una superficie firme y resistente, como un banco de carpintero.

Lo más sencillo es trabajar con una **remachadora**: basta con poner las arandelas de remache en los extremos de la herramienta y cerrarla sobre el agujero ya abierto. Si prefieres no realizar tú misma esta tarea, puedes acudir a una mercería o a un zapatero.

1. Con el sacabocados se abren los agujeros para los remaches. Coloca un pedazo de cuero grueso sobre el diente
inferior de la herramienta y, sobre éste, la pieza que
quieres agujerear. El proceso resulta así más fácil y
además se protege el filo de la herramienta.

2. El paquete de remaches no incluye la remachadora.
La labor resulta más fácil con esta herramienta que
con las piezas de plástico y el martillo, pero el principio
es el mismo.

Herramientas y técnicas

3. Las imágenes muestran cómo hay que usar la remachadora. Se toman las dos partes del remache y la remachadora.
La parte superior se coloca sobre el agujero…

4. … y la inferior sobre el cabezal de la remachadora.
Pon sobre ésta el trozo de cuero y aprieta la remachadora
sobre el agujero. El remache está listo.

Fieltro

No se necesitan más que un par de sencillos elementos para crear espléndidas formas y diseños en fieltro. El material ofrece, además, numerosas sorpresas, puesto que el grado de rigidez y el tamaño de la lana cambian considerablemente durante el proceso de afieltrado.

Para hacer fieltro necesitarás pocas herramientas y materiales: usa como base una **esterilla de caucho**, por ejemplo, una alfombrilla de coche resultaría ideal, ya que su estructura dota al fieltro de mayor estabilidad.

Con un **pulverizador** o una botella puedes humedecer de manera uniforme y con cuidado el material.

La **gasa** o tela mosquitera impide que las fibras de lana se nos peguen en las manos durante el enjabonado.

Nos hará falta también un **cuenco con agua tibia** y una **pastilla de jabón** de aceite de oliva o de piedra, y, por supuesto, **lana fieltrable**. El trabajo con fieltro requiere algo de paciencia y habilidad; pero a cambio, resulta muy entretenido.

Herramientas

En la fotografía se muestra la lana y todo lo necesario para fabricar el fieltro:

1. Una botellita para humedecer. Si no encuentras una, también sirve un pulverizador. Úsalo con cuidado y evita humedecer la lana en exceso.

2. Una esterilla de caucho. Una alfombrilla de coche con dibujo resulta ideal para trabajar con nuestros materiales. Una esterilla lisa de caucho no es lo ideal pero también sirve.

3. Gasa o tela mosquitera.

4. Una hoja de embalaje de plástico de burbujas para hacer el bolso.

5. Un cuenco mediano con agua tibia. Deja la pastilla de jabón de piedra o de aceite de oliva dentro y obtendrás una magnífica solución jabonosa.

Lo que debes saber

1. El fieltro se hace siempre de una sola pieza. Coser varias piezas de fieltro equivale a hacer trampa para los «expertos».

2. La superficie de inicio debe ser aproximadamente el doble de grande que el tamaño que deseamos, ya que durante el proceso el material encoge.

3. Nunca podemos cortar la lana, sólo sacar mechones a pellizcos. Lo mejor es que extraigas mechones enteros de lana con el pulgar de lado. Es un método más regular y sencillo que con la punta de los dedos.

4. Usa sólo agua tibia. Si el agua se enfría, cámbiala durante el proceso.

5. Dos piezas no pueden ser unidas a posteriori. Las fibras sólo se pegan si al menos una de las piezas está seca.

6. Pon mucho cuidado en no aplicar demasiado jabón.

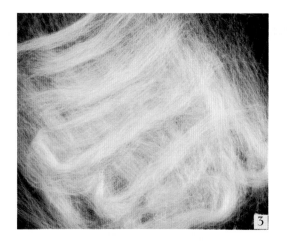

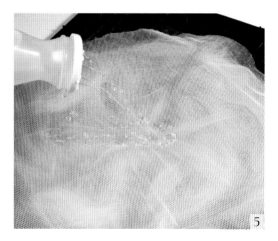

¿Cómo se hace el fieltro?

Los pasos básicos son siempre los mismos:

1. Arranca, con cuidado, fibras de lana ayudándote con el pulgar. Colócalas en la posición deseada sobre la esterilla.

2. Procura colocar rectas las fibras y que no se formen bucles, porque acabarían formando nudos.

3. Coloca una segunda capa delgada en ángulo de 90° con respecto a la primera. La esterilla debería todavía ser visible, de modo que no amontones demasiada lana.

4. Corta la gasa del tamaño deseado y colócala sobre la lana.

5. Humedece con cuidado el conjunto con la botellita.

6. La primera fase del proceso consiste en frotar suavemente la lana con agua y jabón sobre la gasa.

7. Voltea el material varias veces durante el proceso. La gasa debe quedar siempre sobre la lana.

8. Cuando la lana gane cuerpo, frota la gasa fuertemente con las manos.

9. Enjuágalo ahora todo con agua muy caliente. Si hace falta, ponte guantes de goma.

10. Ahora toca abatanar. Amasa y enrolla las piezas de fieltro sobre la esterilla hasta que sean cada vez más pequeñas y rígidas. Empieza a darle forma.

11. Deja que la pieza acabe de secarse al aire. Las piezas más grandes pueden secarse también enrollándolas en toallas de rizo.

Pasta vítrea

Lo que hay que tener en cuenta

Las cuentas de pasta vítrea obtienen su consistencia final en el horno, en una bandeja metálica recubierta de papel de aluminio y colocada a media altura. En el horno, el calor debe llegar a la bandeja desde arriba y abajo. No conectes la función de ventilación. La temperatura máxima de horneado es 180°. También puedes optar por una temperatura más baja. Esto alarga el tiempo de horno, pero el olor que desprende no es tan intenso. Tras trabajar con pasta vítrea es imprescindible limpiar el horno y airear la cocina.

El tiempo de cocción oscila entre 20 y 30 minutos, en función de la superficie que deseemos para la pieza (granulosa o lisa). Cuanto más tiempo en el horno, más lisa será. Al enfriarse, el material se encoge y emite chasquidos, así que no te asustes; es algo normal. Una vez enfriado, el disco se desprende sin problemas del molde.

Durante este proceso es muy común que en los bordes de la pieza se formen cantos afilados y que aparezcan imperfecciones, pero puedes eliminarlos con la ayuda de una lima.

El efecto mate se obtiene frotando la superficie lisa de la pieza con el lado rugoso de un estropajo de cocina.

El agujero del que más adelante colgaremos el disco puede realizarse una vez la pasta se haya solidificado con una aguja de tejer muy caliente o con un taladro provisto de una broca muy fina. También se puede optar por hacer tubitos con papel de aluminio y colocarlos en la posición adecuada sobre la pasta antes de que se endurezca. Después del horneado y de que la pieza se haya enfriado podremos retirarlos. Decídete por un método y úsalo siempre, independientemente de lo que leas en las instrucciones.

El material empleado para la bisutería en el libro (cadenas, arandelas, cierres de mosquetón) es de latón plateado. Si quieres que tus forniuras no contengan níquel, dirígete a una tienda de manualidades. Allí te informarán sobre la composición de cada pieza.

Para trabajar con pasta vítrea necesitaremos las siguientes herramientas: un taladro con una broca muy fina para abrir los agujeros sobre las figuras ya endurecidas, o bien cinta o papel de aluminio, que enrollaremos y colocaremos en la pasta antes del horneado para mantener abierto el agujero. Una lima, para rebajar las irregularidades de los bordes. La cara rugosa de un estropajo seco para dar un tono mate a las superficies de la pieza. Moldes de diferentes formas de la tienda de manualidades; también sirven los moldes de repostería.

Trabajar con pasta vítrea es muy sencillo. Los pasos básicos del proceso se repiten sin variaciones para cada adorno o accesorio. Lo interesante de esta técnica es la variedad de posibilidades que ofrece: se pueden mezclar colores, dibujar siluetas (en la fotografía de la izquierda: molde en forma de corazón) e incluso integrar otros materiales en el conjunto.

Éstos son los pasos que debes seguir:

1. Rellena el molde hasta aproximadamente la mitad con las perlas de pasta vítrea, pon el horno a calentar y hornea la pasta. Sigue siempre las instrucciones que acompañan al producto.

2. Saca del horno los moldes con la pasta vítrea endurecida y deja que se enfríen. Si quieres modificar la forma, debes hacerlo cuando la masa esté todavía caliente. Comprueba antes que el molde no está demasiado caliente.

3. Una vez fría, la pasta endurecida puede extraerse sin problemas del molde. Ahora puedes abrir los agujeros.

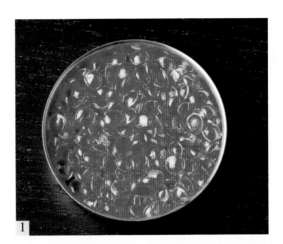

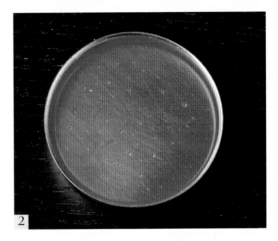

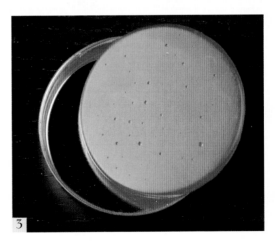

TERCERA PARTE

Accesorios de bisutería

para ir a la última

En este libro presentamos bisutería de todo tipo, confeccionada con los materiales más diversos. Una vez hayas acumulado algo de experiencia, tú misma podrás diseñar ideas y conceptos propios.

Da rienda suelta a tu creatividad. Comprobarás que cada abalorio tiene un carácter propio, y que por más que te ciñas a nuestras instrucciones, tus creaciones tienen algo que las hace distintas de los modelos que proponemos. En ello radica su encanto.

Tómate todo el tiempo que necesites, mima los detalles y disfruta creando tu propia bisutería.

¡Que te diviertas!

Collar de cuentas con pendientes

■ ■ □

MATERIALES Y HERRAMIENTAS

(Cantidades: collar/pendientes)

4/4 cuentas Swarovski® verde pálido, Ø 4 mm

5/0 cuentas Swarovski® verde musgo, Ø 6 mm

5/2 cuentas de vidrio verde oscuro, Ø 6 mm

5/4 cuentas de vidrio verde oscuro, Ø 4 mm

4/0 cuentas cuadradas de vidrio verde pálido, Ø 6 mm

4/4 cuentas cuadradas de vidrio verde pálido, Ø 4 mm

2 tapanudos

Aprox. 80 chafas, Ø 1 mm

2 arandelas de cierre ovales

Aprox. 1 m de alambre recubierto de nailon, Ø 0,5 mm

1 cierre de mosquetón

2 aros dorados

2 ganchos para pendientes

2 arandelas

Pegamento

Alicate de puntas redondas, alicate de punta curvada y alicate de corte diagonal

TÉCNICA Y CONSEJOS

El secreto de esta pieza reside en la combinación de formas y colores. Tendrás que escoger los distintos tonos de una misma familia cromática. El tamaño de las cuentas es prácticamente idéntico; a cambio, el color y la forma varían considerablemente. Tenlo en cuenta al escoger las cuentas para asegurarte de que tu collar será precioso e intemporal.

EL COLLAR

1. Corta primero con el alicate el alambre recubierto de nailon en tres piezas iguales.

2. Enfila en un extremo de cada pieza una chafa y fíjala con el alicate curvado a unos 2 mm del extremo del alambre.

3. Toma ahora los tres alambres, sujétalos por arriba y enfílalos con la chafa en un tapanudos. Rellena el agujero del tapanudos con algo de pegamento y ciérralo con el alicate de puntas redondas (ilustración a).

4. Ya tienes tres alambres de idéntica longitud unidos entre sí en un extremo.

5. Empecemos a enfilar las cuentas. Toma el primer alambre y ensarta las cuentas que correspondan. Procura alternar modelos y formas.

Delante y detrás de cada cuenta tienes que enfilar una chafa que fijarás cuidadosamente con el alicate. Las distancias entre cuentas deberían alternar los 2 cm y los 8 cm. Eso dará al collar un aire particularmente coqueto.

6. Una vez terminada la primera sarta, enfila las restantes cuentas de idéntica manera en los demás alambres. En este punto es importante no colocar las cuentas de los tres alambres a la misma altura para que el collar tenga mejor caída.

7. Recorta ahora los alambres para que tengan idéntica longitud, enfila en cada uno una chafa a 2 mm del extremo (como hemos visto en el paso 3) y aplástala con cuidado.

8. A continuación, retuerce un poco los cables para reforzar la impresión óptica de conjunto.

9. Mete los tres extremos libres con chafa en el segundo tapanudos, rellénalo con pegamento y ciérralo con el alicate.

10. Une ahora una arandela de cierre a cada tapanudos. Recuerda colgar de una de ellas el cierre de mosquetón antes de cerrarla.

LOS PENDIENTES

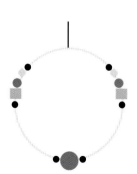

1. Toma uno de los aros y enfila las cuentas en el siguiente orden: chafa, cuenta Swarovski® verde claro (4 mm), cuenta de vidrio verde oscuro (4 mm), cuenta cuadrada de vidrio verde claro (4 mm), 2 chafas, cuenta de vidrio verde oscuro (6 mm), 2 chafas, cuenta cuadrada de vidrio verde claro (4 mm), cuenta de vidrio verde oscuro (4 mm), cuenta Swarovski® verde claro (4 mm), chafa.

2. Fija a continuación las chafas tal y como se muestra en el dibujo de la izquierda. Todavía puedes mover libremente las cuentas. Cierra el aro.

3. Abre una arandela llevando un extremo hacia tu cuerpo y separando el otro en dirección contraria. Pasa el gancho del pendiente y el aro por la arandela y ciérralo de nuevo.

4. Repite todos los pasos para el segundo pendiente.

Pulsera de colgantes

MATERIALES
Y HERRAMIENTAS

10-15 cm de cadena (latón/plateada)
Aprox. 30 bastones de alfiler plateados
2 arandelas de cierre plateadas
30 arandelas plateadas, Ø 5 mm
Cuentas de vidrio y rocalla a tu gusto
1 cierre de mosquetón
Alicate de corte diagonal, alicate curvado
   de puntas redondas y alicate de puntas
   redondas

TÉCNICA Y CONSEJOS

Lo primero que tendrás que hacer es medir la circunferencia de tu muñeca y acortar en consecuencia la
cadena con los alicates, teniendo en cuenta la longitud
del cierre. Ordena las cuentas por tamaños. Extiende
luego la cadena sobre la superficie de trabajo y coloca
las cuentas en el orden que más te guste. Los adornos
han de quedar muy juntos. Para ello te harán falta
bastones de alfiler, a los que darás la longitud adecuada
con los alicates.

1. Empieza por adornar los bastones de alfiler con las cuentas como mejor te parezca. Comienza con los bastones más largos y enfila en ellos varias cuentas. Bastará con que adornes entre diez y doce bastones.

2. Es importante que al menos 1 cm del bastón quede libre para poder formar un ojo.

3. Toma ahora los bastones cortos, también unos diez o doce, y adórnalos con una cuenta grande o varias pequeñas. También aquí debe quedar libre 1 cm en el extremo. Si hace falta, recorta el bastón con el alicate de corte diagonal.

4. Una vez adornados con cuentas todos los bastones, hay que formar los ojos. Para diestros: sostén el bastón con la mano izquierda mientras la derecha forma, con ayuda del alicate de puntas redondas, un aro perfecto (el ojo). Los zurdos tienen que hacerlo a la inversa. Esto suena complicado, pero con un poco de práctica deja de suponer una dificultad (ilustración a).

5. A continuación, pasaremos el ojo de cada bastón por una arandela. Cuelga luego las arandelas en los eslabones planos de la cadena. Procura mantener siempre la misma distancia entre bastones y usar sólo los eslabones planos para que la pulsera no se revire (ilustraciones b y c).

6. Repite el paso 5 con los bastones cortos y cuélgalos intercalados entre los largos. ¡Recuerda que has de mantener siempre la misma distancia! El último paso es unir las arandelas de cierre a los extremos de la cadena y colgar el cierre.

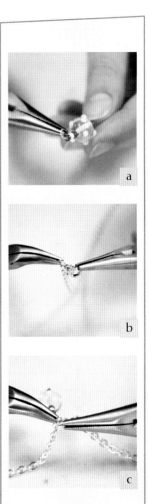

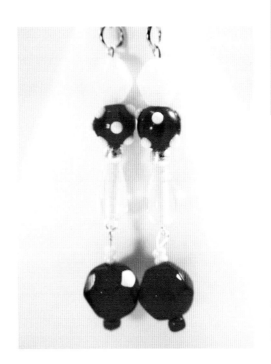

Con un par de bastones de alfiler y dos ganchos de pendiente puedes hacer unos pendientes a juego.

MATERIALES Y HERRAMIENTAS

2 paquetes de pasta vítrea transparente

Cadena de eslabones, aprox. 23 cm

Aprox. 30 arandelas, Ø 7 mm

7 moldes, Ø 4 cm

1 hoja (DIN A4) de chapa de aluminio
   (para troquelar)

1 cierre de mosquetón

Tijeras

Pincho de cocina o aguja de tejer

2 alicates de puntas redondas

Taladro con broca muy fina

Estropajo de cocina

TÉCNICA Y CONSEJOS

En las tiendas de manualidades encontrarás material sin níquel. Los materiales industriales pueden contener níquel, que puede dar lugar a alergias.

1. Rellena dos tercios de los 7 moldes con la pasta, ponlos a endurecer en el horno a 180° durante 30 minutos, deja que se enfríen y lima los bordes. Frota con el lado rugoso del estropajo las superficies para darles un tono mate y abre un agujerito a 2 mm del borde con el taladro a velocidad mínima. Mete una arandela en cada agujero con ayuda del alicate y pasa una segunda arandela por la primera, para que los elementos puedan moverse. Une las segundas arandelas a la cadena en intervalos de dos eslabones planos. Entre los elementos debe quedar siempre un eslabón plano libre.

2. Rellena 6 moldes hasta la mitad con la pasta vítrea y endurécela como en el paso 1. A continuación, recorta un corazón de papel, ponlo sobre la hoja de aluminio y marca la silueta sobre el metal con el pincho o la aguja. Recorta 6 corazones y pon uno en cada molde. Acaba de rellenar los moldes con pasta y métalos en el horno a 180° durante 30 minutos. Después déjalos enfriar y lima los bordes. Abre un agujero a 2 mm de la orilla, cuélgale también dos arandelas y únelas a la cadena en los eslabones que hemos dejado libres. El cierre lo colgaremos de una arandela.

Anillo de flores con granates y cristal de Murano

MATERIALES Y HERRAMIENTAS

4 cuentas de granate

Cuentas de cristal de Murano

Cuentas variadas de vidrio en tonos verdosos

Anillo de acero inoxidable de tu talla con regadera

Aprox. 18 bastones de alfiler plateado, 2 cm

Alicate curvado de puntas redondas y alicate de corte diagonal

TÉCNICA Y CONSEJOS

Este anillo resulta muy llamativo. Gracias al contraste de las cuentas con los granates recuerda a un ramo de flores, y pese a su tamaño no resulta engorroso lucirlo. Cuando dispongas las distintas piezas, recuerda que las cuentas deben encajar bien entre sí. Enfila primero las cuentas más grandes (quedarán en la parte superior del anillo) y luego las pequeñas o planas.

1. Empieza por desatornillar la regadera del anillo para poder ensartar los bastoncillos.

2. Toma, a continuación, los bastones y adórnalos con cuentas. En cada bastoncillo puedes enfilar dos o tres cuentas de distintas formas y colores. Recuerda que has de poner primero las cuentas grandes y luego las pequeñas. El extremo plano del bastón parecerá el cáliz de una flor.

3. Entonces pasaremos los bastones por los agujeros de la regadera, empezando por el centro. Procura que el conjunto de formas y figuras sea armonioso.

4. Usa el alicate para tirar de los bastones y doblarlos para formar ojos. Si hace falta, antes puedes cortar un poco los bastones con los alicates de corte diagonal.

5. Retuerce luego los ojos con el alicate y aplánalos contra la regadera.

6. Cuando hayas rellenado todos los agujeros de la regadera con bastones y hayas doblado todos los ojos, vuelve a enroscar la regadera sobre el anillo.

MATERIALES
Y HERRAMIENTAS

Aprox. 1 m de hilo de nailon, Ø 0,25 mm

Aprox. 30 cm de cinta de silicona,
 Ø 1 mm

30 cuentas de vidrio tallado, Ø 4-6 mm

2 tapanudos (para la cinta de silicona)

1 cierre (mosquetón, por ejemplo)

2 arandelas de cierre

Pegamento y alicate pequeño para el cierre

TÉCNICA Y CONSEJOS

El racimo de cuentas es una pieza maestra dentro de las manualidades de bisutería. Su confección requiere paciencia y habilidad. Lo mejor será que antes de empezar hagas algunas pruebas. Una vez hayas comprendido cómo se confecciona, seguro que lo utilizarás en otras piezas, puesto que un racimo así tiene muchas aplicaciones: como colgante, en pendientes o como adorno del teléfono móvil.

Hay una cosa importante a tener en cuenta: el hilo en el que enfilamos las cuentas debe pasar de nuevo por la cuenta de inicio y la que esté junto a ella al final del proceso para estabilizar el racimo. Conforme se va completando el racimo, menos cuentas nuevas hay que añadir por anillo, cada uno de los cuales consta de cinco cuentas.

Los numerosos esquemas y fotografías muestran con claridad cada uno de los pasos a seguir. Obsérvalos con atención.

Para los 5 círculos interiores de cuentas, añade la siguiente cantidad de cuentas por círculo:
4 – 3 – 3 – 3 – 2
Para los 5 círculos exteriores serán:
3 – 2 – 2 – 2 – 1

1. Empieza por enfilar 5 cuentas en el hilo de nailon. Centra las cuentas en el hilo y cruza éste por la quinta cuenta. Si quieres dar mayor fijación a las cuentas, haz ahora un nudo (ilustración a).

2. Enfila ahora 4 cuentas más y vuelve a pasar el hilo por la primera cuenta del círculo. Así tendrás dos círculos (ilustración b).

Esta fotografía muestra lo que se puede hacer con un racimo de cuentas. Puede ser de un solo color o multicolor y utilizarse en colgantes, pendientes y anillos.

«La mejor manera de confortarse es intentar confortar a otra persona.»

Mark Twain

c

d

e

f

g

3. Repite el paso 2 hasta que hayas formado cuatro círculos en torno al círculo central. Para el quinto y último círculo sólo necesitarás 2 cuentas nuevas (ilustraciones c y d).

4. Ya casi tienes media esfera (ilustración e); ahora empezaremos a cerrarla. ¿Cómo? Cerrando 5 círculos en torno al dibujo ya creado. A partir de ahora hay que usar menos cuentas.

5. Toma el hilo izquierdo y pásalo por la siguiente cuenta. Enfila 3 nuevas cuentas en el hilo derecho. Retoma el hilo izquierdo y crúzalo sobre la tercera cuenta de la nueva sarta. Una vez más tenemos un círculo formado por 5 cuentas (ilustración f).

6. Los siguientes 2 anillos los haremos igual, pero tomando sólo 2 cuentas nuevas (ilustración f).

7. El quinto círculo se forma con una única cuenta. Recuerda que has de pasar siempre el hilo también por la cuenta vecina de los círculos ya existentes (ilustración f).

8. La esfera se cierra ahora por sí sola sobre sí misma. Para acabar, pasa los hilos de ambos lados por las 5 cuentas inferiores, anuda los extremos y fija el nudo con algo de pegamento (ilustración g).

9. A continuación, pasa el hilo de silicona por el racimo, refuerza los extremos con sendos tapanudos y cuelga de ellos, con las tenazas, dos arandelas con el cierre.

MATERIALES
Y HERRAMIENTAS

2 colgantes de pendiente con aro
   doble, Ø exterior 3 cm aprox.,
   con 5 ojos
12 arandelas redondas plateadas,
   Ø 5 mm
12 discos de nácar verde claro con
   un agujero, Ø 1,5 cm
Alicate de puntas redondas y alicate
   curvado de puntas redondas

TÉCNICA Y CONSEJOS

Puedes comprar los aros dobles con ojos
en una buena tienda de manualidades.
Eso hará que te resulte más fácil crear
unos pendientes llamativos y originales
a tu gusto. En caso de que sólo dispongan
de aros simples, puedes utilizarlos también,
pero los aros dobles son mucho más
bonitos.

> «Incluso el camino de mil kilómetros comienza con un simple paso.»
>
> Proverbio japonés

1. Empieza por abrir las 12 arandelas con ayuda de ambos alicates. Una vez más, lleva una punta de la arandela hacia ti y la otra en dirección diametralmente opuesta. De este modo no se estropea la forma original de la arandela.

2. Pasa cada arandela por el agujero de los discos de nácar y por un ojo de los aros.

3. Cierra las arandelas de nuevo con los alicates.

Pulsera personalizada de cuentas Swarovski®

MATERIALES Y HERRAMIENTAS

Aprox. 1 m de hilo de nailon, Ø 0,25 mm

9 cuentas Swarovski® naranjas Ø 4 mm

12 cuentas Swarovski® verde musgo,
   Ø 4 mm

10 cuentas Swarovski® salmón, Ø 4 mm

12 cuentas Swarovski® burdeos, Ø 4 mm

9 cuentas Swarovski® ámbar, Ø 4 mm

12 cuentas Swarovski® rosa pálido, Ø 6 mm

5 cuentas de vidrio con letras

1 cierre de rosca y pegamento

TÉCNICA Y CONSEJOS

Dependiendo de la longitud del nombre, puedes modificar la pulsera añadiendo más letras y recortando la sarta de cuentas junto al cierre. ¡Mide antes tu muñeca!

Esta pulsera mide unos 18 cm de largo. Cada corona de cuentas tiene un tamaño de aprox. 1,5 cm, incluida la cuenta de conexión.

En lugar de letras puedes usar otras piedras de adorno; una vez más, el límite a tu creatividad lo pones tú.

En esta técnica es importante que comiences a enfilar las cuentas con la primera corona. La sarta de cuentas que va de esta corona al cierre la añadiremos al final.

La elección de los colores queda enteramente en tus manos. Para nuestro ejemplo nos hemos decidido por piedras de mucho colorido. Eso sí: las piezas de cada anillo deberían ser todas del mismo color.

En la página siguiente encontrarás las instrucciones. ¡Que te diviertas creando tu propio mensaje!

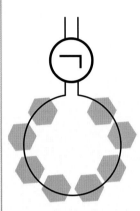

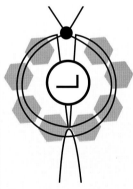

1. Vamos a empezar con la primera corona de cuentas, en nuestro ejemplo la que lleva la L. Corta 80 cm del hilo de nailon. Enfila y centra 8 cuentas Swarovski® naranjas en él. Ensarta ahora del revés la L en ambos extremos, coloca la piedra con la L en el centro de la corona y dale la vuelta. Los hilos están ahora abajo, y la L del derecho.

2. Vuelve a pasar el hilo izquierdo por las 4 cuentas de la izquierda, el derecho por las 4 de la derecha hacia arriba y cierra la corona con un nudo doble.

3. Pasa ahora una de las cuentas de 6 mm por ambos hilos.

4. Repite los pasos 1 a 3 con cada corona de cuentas. Con las letras o símbolos simétricos no hace falta que enfiles las piedras del revés. Usa en cada corona cuentas de un color de tu elección. En el ejemplo hemos empleado cuentas naranjas, verde musgo, salmón, burdeos y ámbar.

5. Una vez hayas ensartado todas las cuentas en las coronas, junta ambos hilos tras el último doble nudo y enfila alternativamente cuentas Swarovski® grandes y pequeñas.

6. La longitud de la sarta dependerá del número de coronas de cuentas y de la circunferencia de tu muñeca. Nosotros hemos enfilado 4 cuentas grandes y 3 pequeñas. El remate de la sarta está compuesto por 3 cuentas Swarovski® pequeñas de color burdeos.

7. Toma ahora una de las piezas del cierre y anuda ambos hilos en su argolla. Los mismos hilos tienen luego que volver a pasar por la última cuenta. Corta los extremos y fija los hilos al cierre con una gota de pegamento.

8. Nos falta la segunda sarta de cuentas. Toma el hilo de nailon restante (20 cm) y pásalo por la misma trayectoria que el hilo de la primera corona, tal y como se muestra abajo a la izquierda.

9. Enfila también aquí las cuentas en el mismo orden en ambos hilos, como en la primera sarta.

10. A continuación, toma la otra pieza del cierre y anuda en su argolla los extremos de ambos hilos. Pasa de nuevo estos extremos por la última cuenta, recorta las puntas y fija el nudo con una gota de pegamento.

Collar antiguo

MATERIALES
Y HERRAMIENTAS

Aprox. 40 arandelas envejecidas redondas,
Ø 7 mm

Aprox. 14 bastones de alfiler envejecidos,
0,7 x 35 mm

3 colgantes de aire antiguo triples, 16 x 23 mm

Aprox. 20 cuentas de vidrio de color tostado,
Ø 10 mm

Aprox. 20 cuentas de vidrio nacaradas,
Ø 70 mm

Aprox. 10 g de cuentas de rocalla marrones,
fornitura de plata, Ø 2,6 mm

Aprox. 10 g de cuentas de rocalla de color
miel e iridiscentes, Ø 2,6 mm

Aprox. 20 cuentas de vidrio tallado translúcidas,
Ø 6 mm

10-15 cuentas de vidrio tallado negras, Ø 6 mm

Aprox. 20 cuentas de cristal de Murano de
tonos rosados y pardos, Ø 12 mm

Aprox. 10 cuentas envejecidas con pedrería
Swarovski®, Ø 8 mm

Aprox. 1 m de cadena de eslabones envejecida
estriada, Ø 1,2 mm

Aprox. 1,5 m de alambre (latón recubierto)

2 cuentas ovales de vidrio largas 20 mm aprox.

Aprox. 25 chafas envejecidas, Ø 1,4-2 mm

Pegamento

Alicate de corte diagonal, alicate de puntas redondas y alicate curvado de puntas redondas

TÉCNICA Y CONSEJOS

Vamos a componer la cadena simétricamente y pieza a pieza de atrás hacia delante. ¡Cada pieza ha de estar repetida! Los únicos elementos sin repetición son los tres colgantes de aire antiguo y la pieza trasera de cuentas. Todos los elementos (sartas de cuentas y cadena) están unidos entre sí por medio de arandelas.

1. Ordena las cuentas y corta con el alicate de corte diagonal piezas de 12 cm aprox. de alambre y de cadena. Forma en un extremo de cada pieza de alambre un pequeño bucle con el alicate de puntas redondas y fíjalos con una chafa.

2. Enfila a continuación las distintas cuentas a tu gusto. Entre las cuentas grandes tienes que enfilar de una a tres rocallas para que el collar conserve su flexibilidad. ¡Recuerda que tienes que hacer dos veces cada sarta!

3. Deja 1 cm libre en el extremo y forma otro bucle, que luego fijarás con otra chafa y algo de pegamento. Pasa una arandela por cada bucle. Con ellas unirás luego las sartas de cuentas y la cadena.

4. Ahora podemos empezar a hacer la pieza de la nuca. Escoge para ello cuentas especialmente bonitas. Fija la prime-ra pareja de sartas en ambos extremos del elemento; añade a continuación un trozo de cadena, luego una sarta de cuentas y vuelta a empezar. El último elemento ha de ser una sarta de cuentas.

5. El colgante delantero está compuesto de tres adornos de aire envejecido, en cada uno de los cuales colgarás 3 bastones de aro, adornados con 11 cuentas de rocalla pardas con for-nituras plateadas. Vuelve a dejar libres aprox. 1,5 cm en el extremo, forma un bucle y une los bastones al colgante con ayuda de una arandela.

6. Para los dos elementos intermedios, enfila para cada uno 1 cuenta oval y 2 de nácar en el alambre, dobla los extremos en ojos y fíjalos con una chafa. Conecta ahora la última pareja de sartas de cuentas y la pieza de los colgantes con las arandelas.

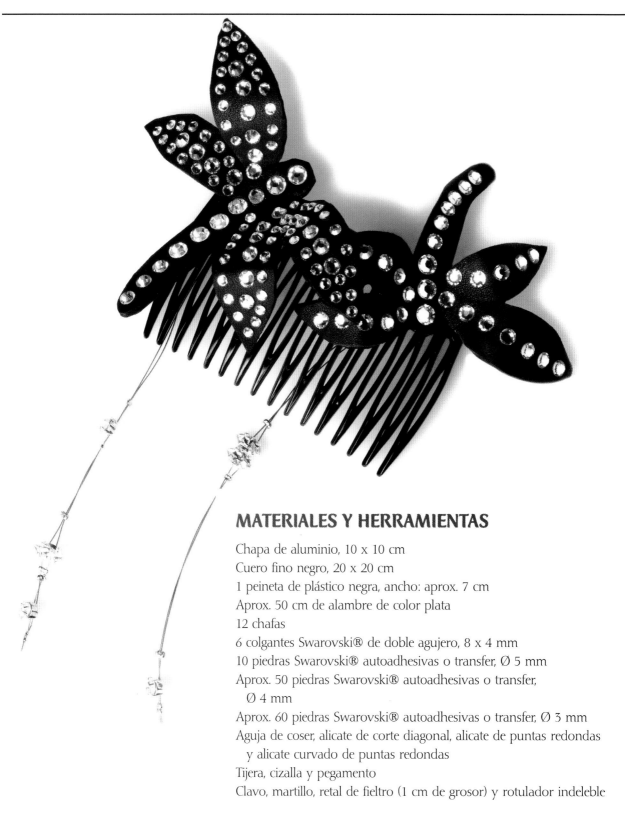

MATERIALES Y HERRAMIENTAS

Chapa de aluminio, 10 x 10 cm

Cuero fino negro, 20 x 20 cm

1 peineta de plástico negra, ancho: aprox. 7 cm

Aprox. 50 cm de alambre de color plata

12 chafas

6 colgantes Swarovski® de doble agujero, 8 x 4 mm

10 piedras Swarovski® autoadhesivas o transfer, Ø 5 mm

Aprox. 50 piedras Swarovski® autoadhesivas o transfer,
   Ø 4 mm

Aprox. 60 piedras Swarovski® autoadhesivas o transfer, Ø 3 mm

Aguja de coser, alicate de corte diagonal, alicate de puntas redondas
   y alicate curvado de puntas redondas

Tijera, cizalla y pegamento

Clavo, martillo, retal de fieltro (1 cm de grosor) y rotulador indeleble

TÉCNICA Y CONSEJOS

Esta llamativa peineta requiere bastante habilidad manual.
Ten mucho cuidado al usar la cizalla y al calentar la aguja:
recuerda que debes sostener esta última con un alicate de
mango aislante. Trabaja con calma y minuciosidad. Si no
te gusta el color negro, puedes optar por tonos ocres u
otros colores. Procura, eso sí, que el cuero y la peineta
combinen bien.

1. Traza sobre papel dos libélulas de tamaños distintos y recórtalas. En la página 58 encontrarás el patrón.

2. Coloca los patrones sobre la hoja de aluminio y dibuja la silueta con rotulador (ilustración a).

3. Recorta las siluetas con la cizalla (ilustración b). ¡Ten mucho cuidado al utilizarla!

4. Recorta la pieza de cuero en cuatro cuadrados. Aplica un poco de pegamento a la cara rugosa del cuero (ilustración c).

5. Toma las libélulas de chapa y coloca cada una sobre un pedazo de cuero de manera que se adhieran al pegamento.

6. Toma ahora los restantes trozos de cuero y presiónalos firmemente sobre las libélulas con la cara del pegamento sobre éstas. La chapa está ahora cubierta de pegamento por ambas caras.

7. Aplica una presión constante sobre las libélulas. Lo mejor es dejarlas una noche debajo de un montón de libros, para que el pegamento pueda secar bien.

8. Usa la tijera para recortar las libélulas de cuero a 1 mm del borde de la chapa. Los bordes son perceptibles a la vista y el tacto. La chapa marca un relieve claro bajo el cuero fino. Además, difícilmente podrás cortar la chapa con unas tijeras para tela (ilustración d).

f

g

h

i

j

«El secreto del éxito está en la constancia de la voluntad.»

Benjamin Disraeli

9. Coloca las libélulas sobre el fieltro y abre con cuidado dos agujeros en lo alto del «lomo», usando el clavo y el martillo (ilustración e).

10. Ahora puedes transferir las piedras Swarovski®. Usa las piedras grandes para el lomo y la línea interior de las alas. Con las piedras pequeñas traza una línea exterior sobre las alas (ilustración f).

11. Toma la aguja de coser, sujétala con un alicate y caliéntala sobre una llama. Con la aguja incandescente abre dos agujeros en cada extremo del reborde superior de la peineta. Tiene que haber 4 mm de distancia entre los agujeros de cada par (ilustraciones g y h).

12. Recorta ahora dos trozos de alambre de unos 20-25 cm. Pasa los extremos de un alambre por los agujeros de una libélula de arriba abajo y luego, también de arriba abajo por una pareja de agujeros de la peineta.

13. Desde abajo enfila una chafa en ambos alambres y ciérrala directamente bajo la peineta. La peineta y la libélula ya están unidas. Repite el proceso con la otra libélula (ilustración i).

14. A continuación, puedes enfilar en los alambres los colgantes Swarovski® como mejor te parezca y en los intervalos que más te gusten. Usa una chafa en los alambres de ambos lados para fijarlos (ilustración j).

15. Corta los extremos de alambre justo por debajo de la última chafa.

MATERIALES Y HERRAMIENTAS

2 ganchos de pendiente plateados
6 bastones de anillas, 50 mm
6 bastones de alfiler, 20 mm
6 cuentas plateadas ovales, 6 x 4 mm
16 cuentas Swarovski® ámbar,
    Ø 4 mm
14 cuentas Swarovski® naranjas,
    Ø 4 mm
14 cuentas Swarovski® salmón,
    Ø 4 mm
10 cuentas Swarovski® burdeos,
    Ø 4 mm
14 arandelas de plata, Ø 5 mm
Aprox. 15 cm de cadena de
    eslabones, plata, Ø 4 x 3 mm
Alicate de corte diagonal, alicate
    curvado de puntas redondas
    y alicate de puntas redondas

TÉCNICA Y CONSEJOS

Los pendientes están compuestos de tres partes muy fáciles de confeccionar pese a lo llamativo de su apariencia. ¿Sabes ya en qué ocasiones o con que conjuntos te gustaría lucir los pendientes? Vale la pena pensarlo, porque la elección de los colores queda en tus manos. ¡Intenta armonizarlos! Asegúrate también de que los ganchos de los pendientes no contengan níquel.

1. Vamos a empezar con la sarta de cuentas más larga. Toma un bastón de anilla y enfila en él 10 cuentas Swarovski® alternando colores.

2. Al final del bastón debe quedar 1 cm libre. De ser necesario, córtalo con los alicates para que tenga esa longitud. Usa el alicate curvado para formar un bucle con este extremo. Repite los pasos 1 y 2 para el segundo pendiente.

3. Para el elemento de longitud media tienes que enfilar 8 cuentas Swarovski®, recortar el trozo sobresaliente de bastón para que quede 1 cm y formar otro bucle. Repite este paso para el segundo pendiente.

4. Falta ahora la sarta más corta de cuentas. Ensarta 6 cuentas Swarovski® en el bastón de anilla, recórtalo hasta que sobresalga sólo 1 cm y forma un bucle con él. Repite de nuevo el procedimiento para el segundo pendiente.

5. Utiliza en cada pendiente una sarta larga, una intermedia y una corta. Abre con los alicates una arandela, llevando uno de los extremos hacia el cuerpo y el otro en sentido diametralmente opuesto. Pasa ahora los tres bucles que has formado por la arandela, ciérrala y cuélgala del gancho del pendiente.

6. Corta ahora la cadena en 6 fragmentos idénticos. También puedes abrir los eslabones de la cadena y volver a cerrarlos. En el ejemplo hemos usado 7 eslabones en cada fragmento.

7. Toma ahora 2 arandelas por fragmento de cadena, ábrelas y cuélgalas del inicio y el final de cada fragmento. Cuelga la arandela de un extremo de cada fragmento de una sarta de cuentas distinta.

8. A continuación, toma los bastones de alfiler y enfila en cada uno una cuenta Swarovski® y una cuenta plateada. Forma un bucle con el extremo del bastón.

9. Cuelga el bucle de la arandela abierta en el extremo inferior de una cadena. Repite este paso con cada pieza.

MATERIALES Y HERRAMIENTAS

1 paquete de pasta vítrea naranja
4 moldes, Ø 7 cm
8 moldes, Ø 4 cm
1 cierre de clip
6 hilos *scoubidou* naranjas
13 cuentas cuadradas de doble agujero de tiro, 8 x 8 mm; en el ejemplo, cuentas metálicas esmaltadas en rosa, naranja y crema
Aprox. 30 cm de cinta de aluminio
Pegamento
Taladro con broca fina (opcional)
Lima
Tijeras
Estropajo de cocina

TÉCNICA Y CONSEJOS

Procura que en el cinto queden hacia fuera las caras de los discos que estaban en contacto con los moldes. Esas caras tienen una superficie más lisa. Puedes determinar la longitud del cinto con los hilos *scoubidou*. Si hace falta, puedes modificar el espacio entre los distintos ornamentos del cinto.

1. El primer paso es rellenar cada molde pequeño hasta la mitad con pasta vítrea. Corta la cinta de aluminio en cuadrados iguales y coloca uno en cada uno de los 4 moldes grandes. Rellénalos también hasta la mitad con pasta vítrea en torno al cuadrado. Así obtendrás 4 formas con un agujero cuadrado en el centro.

2. Prepara tubitos de aluminio con los que abrir agujeros en la pasta de los moldes. Necesitarás 4 tubitos por disco (como puede verse en el esquema y la fotografía). Mete los moldes en el horno a 180° durante 30 minutos y deja que se enfríen. Lima los bordes de los discos y frota las superficies con el lado rugoso del estropajo para quitarles el brillo.

3. Toma ahora 2 hilos *scoubidou* y haz un nudo simple a 20 cm del extremo de cada uno de ellos. Enfila los extremos más largos desde arriba, respectivamente, en uno de los agujeros de un disco grande (con agujero cuadrado).

4. Enfila a continuación ambos hilos cruzados en una de las cuentas cuadradas, que quedará presa en el centro del agujero cuadrado.

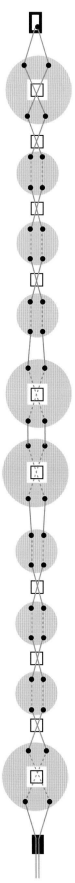

*Segunda pieza
de cierre*

5. Pasa los hilos desde abajo por los dos agujeros restantes y anúdalos de manera que la posición del disco quede fija.

6. Enfila ahora una cuenta cuadrada cruzada en ambos hilos.

7. A continuación, debes enfilar uno de los discos pequeños. Recuerda que debes anudar cada vez los hilos para que las distintas piezas no se deslicen.

8. El diagrama de la izquierda muestra el orden en que deben enfilarse los elementos. Cada punto negro representa un nudo; los recuadros negros, una cuenta cuadrada. Las líneas discontinuas muestran los tramos en los que los hilos transcurren por detrás del disco.

9. Cuando llegues al final de un hilo, anúdale uno nuevo. Procura que el nudo quede oculto tras una cuenta. ¡Fija cada nudo con pegamento!

Recuerda también que el hilo transcurre siempre por la parte inferior de los discos y los nudos se hacen en la parte superior. A partir de aquí el proceso se repite, de modo que en breve te familiarizarás con cada paso.

10. Ahora debemos poner el cierre: anuda ambos elementos de cierre con los hilos. Los 20 cm que has dejado libres los utilizaremos ahora para la pieza delantera de adorno. Enfila una cuenta, un disco pequeño, otra cuenta y otro disco pequeño y finalmente una cuenta más, tal y como aparece en la fotografía y como ya sabes.

11. Sólo queda anudar los hilos, recortar los extremos sobrantes y fijar los nudos con pegamento.

*Pieza de cierre y 20 cm de
cintas. Aquí ataremos más
adelante 2 discos pequeños
de pasta vítrea y dos cuentas.*

■ ■ ■

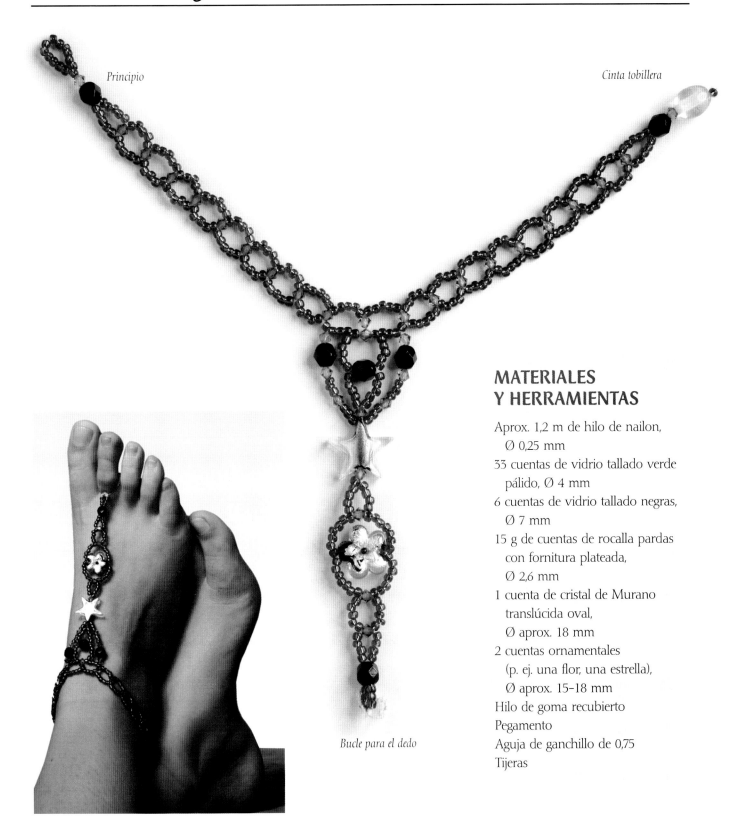

Principio

Cinta tobillera

Bucle para el dedo

MATERIALES Y HERRAMIENTAS

Aprox. 1,2 m de hilo de nailon, Ø 0,25 mm

33 cuentas de vidrio tallado verde pálido, Ø 4 mm

6 cuentas de vidrio tallado negras, Ø 7 mm

15 g de cuentas de rocalla pardas con fornitura plateada, Ø 2,6 mm

1 cuenta de cristal de Murano translúcida oval, Ø aprox. 18 mm

2 cuentas ornamentales (p. ej. una flor, una estrella), Ø aprox. 15–18 mm

Hilo de goma recubierto

Pegamento

Aguja de ganchillo de 0,75

Tijeras

TÉCNICA Y CONSEJOS

El patrón requiere mucha concentración, pero no es tan complicado como puede parecer a primera vista. El dibujo de anillos resulta muy adecuado para este tipo de adornos, ya que es firme y elástico al mismo tiempo. Lo más importante es que el dibujo tenga siempre un número par de anillos. En este modelo hemos trabajado con 20 anillos, lo que equivale a una longitud de 26 cm. Mide la circunferencia de tu tobillo (sin apretar) y calcula cuántos anillos te harán falta para la tobillera.

1. Empezaremos con la cinta que se cierra en torno al tobillo. Toma unos 60 cm de hilo de nailon, busca el centro y enfila en él 12 cuentas de rocalla. Toma a continuación una cuenta más y enfílala por ambos extremos del hilo. Ensarta del mismo modo una cuenta verde y una negra.

2. Separa de nuevo los hilos y enfila en cada uno 5 cuentas de rocalla pardas. Toma una cuenta de vidrio verde y pasa cada hilo por uno de sus agujeros.

3. Repite el paso 2 hasta alcanzar el número deseado de anillos (20 en nuestro ejemplo).

4. El último anillo se cerrará primero con una cuenta negra y luego una verde. Tras la cuenta verde enfilaremos la cuenta grande de cristal de Murano translúcida como cierre. Enfila una cuenta de rocalla más, anuda los extremos del hilo, escóndelos en la última cuenta y fíjalos con una gota de pegamento.

Este esquema muestra qué cuentas debes enfilar y cuántas veces debes enfilarlas. Haz el cálculo con este patrón:

Cinta tobillera   *Cinta tobillera*

Bucle para el dedo

Así es como deben enfilarse los anillos para la cinta del tobillo.

5. Vamos ahora con la pieza que va hasta los dedos. ¡No te equivoques al contar! Divide el resto del hilo de nailon en dos mitades iguales. Toma los dos anillos centrales de la cinta del tobillo y pasa el primer hilo por las cuatro primeras cuentas de rocalla de ambos elementos. Conéctalos con una cuenta verde adicional y enfila a cada extremo las cuentas que aparecen en la fotografía inferior.

6. Pasa el segundo hilo por la nueva cuenta verde y las dos cuentas pardas contiguas. Enfila, a continuación, 5 cuentas de rocalla en cada extremo.

7. En el esquema de la izquierda puede verse perfectamente cómo deben pasarse los hilos y cuál es el dibujo final. Lo importante es que tras la estrella, por cada cuenta, pasen dos hilos. Esto les da mayor estabilidad. Los extremos de los cuatro hilos se anudan luego, se guardan en una cuenta y se fijan con pegamento.

8. Para el lazo del dedo debes tomar un trozo de hilo de goma doble, tejer en el centro un anillo de cadeneta y anudar los extremos al último anillo de cuentas.

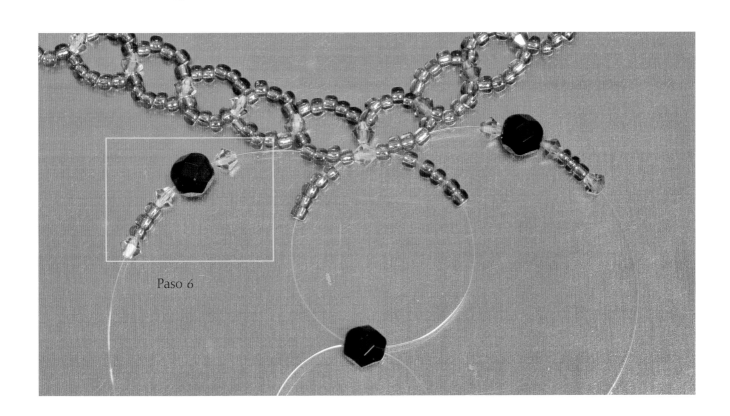

Paso 6

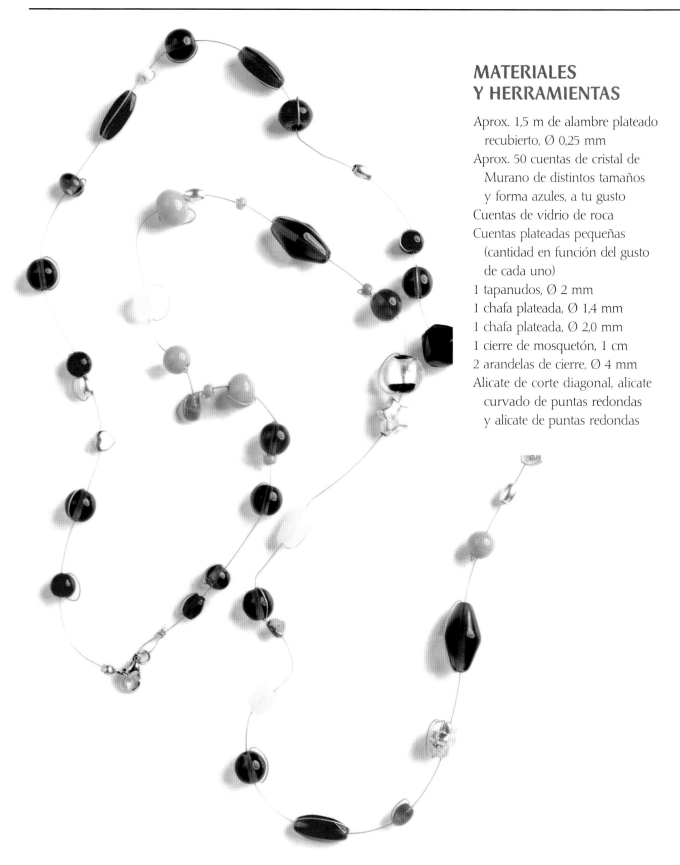

MATERIALES Y HERRAMIENTAS

Aprox. 1,5 m de alambre plateado
  recubierto, Ø 0,25 mm
Aprox. 50 cuentas de cristal de
  Murano de distintos tamaños
  y forma azules, a tu gusto
Cuentas de vidrio de roca
Cuentas plateadas pequeñas
  (cantidad en función del gusto
  de cada uno)
1 tapanudos, Ø 2 mm
1 chafa plateada, Ø 1,4 mm
1 chafa plateada, Ø 2,0 mm
1 cierre de mosquetón, 1 cm
2 arandelas de cierre, Ø 4 mm
Alicate de corte diagonal, alicate
  curvado de puntas redondas
  y alicate de puntas redondas

TÉCNICA Y CONSEJOS

Este collar de cuentas es muy sencillo y original.
En el ejemplo hemos empleado diversos tonos azules
y plateados. Si prefieres los tonos rojizos, rosáceos o
pardos, no dudes en intentar nuevas combinaciones.
Procura, eso sí, escoger siempre colores de la misma
familia: de no hacerlo, el collar puede resultar algo
chillón. Decide tú la longitud del collar.

1. Toma el alambre y enfila a intervalos diversos las cuentas. Nosotros hemos usado intervalos de entre 2 y 4 cm.

2. Fijar las cuentas en el alambre es muy sencillo: ensarta la cuenta en el alambre donde quieras ponerla, pasa el alambre por fuera de la cuenta y vuelve a ensartarla por el mismo lado. El alambre transcurre ahora por el exterior de la cuenta y la fija en su sitio.

3. Alterna los tonos, las formas y los tamaños de las cuentas, de manera que el conjunto resulte variado. Intercala también pequeñas cuentas de vidrio o de rocalla.

4. Cuando el collar tenga la longitud adecuada, faltará solamente ponerle el cierre.

5. Toma un extremo del alambre y enfila un tapanudos. Aplástalo con el alicate y fíjalo en su sitio.

6. Toma una de las arandelas ovales y ábrela, tirando de un extremo hacia tu cuerpo y del otro en dirección diametralmente opuesta. Usa para ello el alicate de punta redonda y el alicate curvado. Pasa la arandela por la abertura del tapanudos y vuelve a cerrarla.

7. Enfila en el otro extremo del alambre primero una chafa pequeña y después otra grande. Haz un bucle con la punta del alambre, pásala por ambas chafas y ciérralas con el alicate. Toma ahora la segunda arandela, ábrela, pásala por el bucle y el asa del cierre de mosquetón y ciérrala con cuidado.

Anillo de granates y perlas cultivadas

TÉCNICA Y CONSEJOS

Las perlas cultivadas y el contraste de colores le dan al anillo un aire noble e inusual. Sin embargo, su confección resulta bastante sencilla.

MATERIALES Y HERRAMIENTAS

Aprox. 10 g de chips de granate
Aprox. 10 g de perlas rosadas
   cultivadas
Aprox. 10 g de perlas blancas
   cultivadas
50 cm de nailon elástico, Ø 0,25 mm
Pegamento
Aguja de coser y mango de madera

«Nunca se sabe lo que pasará cuando se cambian las cosas. Pero ¿acaso sabemos lo que pasará si no las cambiamos?»

Elias Canetti

1. Toma, en primer lugar, el cordón elástico y haz un nudo en un extremo, para que las cuentas no se escurran.

2. Enfila ahora sin orden ni concierto los tres tipos de cuenta que vayas a usar (ilustración a).

3. Ve midiendo de vez en cuando la longitud. Cuando puedas enrollar la sarta de cuentas tres veces y media en torno al dedo en el que vayas a lucir el anillo (sin estirar), habrás alcanzado la longitud deseada.

4. Usa un mango redondo de madera para montar el anillo. En el ejemplo hemos usado el de un martillo.

5. Toma la sarta de cuentas y fija con cinta adhesiva el extremo del nudo al mango de madera.

6. Enrolla en paralelo el cordón en torno al mango (ilustración b).

7. Una vez el cordón esté completamente enrollado, enhebra el extremo del cordón en una aguja de coser y une en zigzag las distintas hileras de cuentas para que se mantengan fijas.

8. Pasa la aguja por encima de las hileras y por debajo hasta regresar al punto de partida (ilustración c).

9. Anuda ambos extremos del hilo, corta los trozos sobrantes y fija el nudo con una gota de pegamento. Esconde el nudo entre las cuentas.

Pulsera oriental

MATERIALES
Y HERRAMIENTAS

7 fornituras de conexión
 de latón envejecido con 4 agujeros,
 16 x 11 mm
7 cuentas de vidrio tallado negras,
 Ø 7 mm
70 cuentas de vidrio tallado ámbar
 iridiscentes, Ø 4 mm
Aprox. 1 m de nailon elástico
 (Magic Stretch), Ø 0,25 mm
Pegamento

TÉCNICA Y CONSEJOS

Esta pulsera tiene una óptica espectacular, y pese a ello no
resulta tan complicada como pudiera parecer. Las piezas
individuales se repiten constantemente. Gracias a la elastici-
dad del nailon no hará falta utilizar un cierre. Basta con
anudar los extremos. Un consejo: pega los extremos de
ambos hilos de nailon con cinta adhesiva sobre la superficie
de trabajo para fijarlos.

1. Divide en primer lugar el hilo de nailon en dos trozos iguales y fíjalos con cinta adhesiva a la superficie de trabajo.

2. Empieza ahora con el primer elemento: enfila en ambos hilos 2 de las cuentas de vidrio de color ámbar.

3. Pasa ambos hilos por una de las cuentas negras de 7 mm. Cruza los hilos: el de la derecha sigue hacia la izquierda y viceversa.

4. Vuelve a enfilar dos cuentas ámbar en ambos hilos.

5. Ahora viene la fornitura: pasa, en cada lado, el hilo por el primer agujero de la pieza metálica hacia abajo y a través del segundo agujero hacia arriba.

6. A continuación, enfila una cuenta ámbar en cada uno de los hilos. Vuelve a pasarlos tal y como se describe en el paso 5 por los agujeros de la fornitura metálica.

7. Ya tenemos un primer elemento. Repite los pasos 2 a 6 hasta que la pulsera tenga la longitud necesaria para cerrarse en torno a tu muñeca.

8. El último elemento que enfilamos es una pieza metálica. Toma los extremos de los hilos que has pegado con cinta adhesiva y anúdalos con los extremos que han pasado por la pieza metálica.

9. Recorta las puntas sobrantes y fija los nudos con una gota de pegamento.

Collar de turquesas con lazo de raso

MATERIALES Y HERRAMIENTAS

5 pompones de tonos turquesa

Aprox. 12 cuentas metálicas (de plata envejecida)

2 cuentas satinadas turquesa, Ø 2 cm

2 cuentas recubiertas de tubitos iridiscentes
   negras

15 cuentas de vidrio turquesa variadas,
   Ø 4-7 mm

2 cuentas de vidrio tallado de antracita, Ø 2 cm

3 turquesas auténticas

1 cierre de trabilla de plata envejecida

1,5 m de cinta de raso turquesa, ancho: 9 mm

1 colgante en forma de corazón, ancho: 9 mm

5 cuentas de vidrio tallado negras, Ø 6 mm

5 cuentas de vidrio tallado transparentes,
   Ø 10 mm

1,5 m de alambre plateado

Chafas

Pegamento para bisutería, aguja de coser, alicate
   de puntas redondas y alicate de corte diagonal

TÉCNICA Y CONSEJOS

El relativo peso de las cuentas de este collar hace necesario obtener la mayor estabilidad posible de las piezas. Por este motivo emplearemos una técnica especial que pasa el alambre dos veces por cada cuenta. De este modo se evitan espacios abiertos en el enfilado. A los pompones hay que añadirles un bucle de alambre para permitir, también por ellos, el doble paso del alambre.

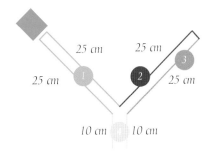

1. Lo primero es preparar los pompones para el enhebrado en el alambre. Toma 30 cm de alambre y, con el alicate de corte diagonal, divídelo en cinco piezas de 6 cm cada una.

2. Enhebra las piezas de alambre en la aguja de coser y pasa cada una por un pompón distinto dos veces, de manera que el alambre forme un bucle. El bucle tiene que quedar cuanto más estrecho mejor. Lo más importante es que ambos alambres estén bien pasados y que el pompón esté bien fijado a la cadena.

3. Ahora tienes que enfilar las chafas en los dos extremos del alambre y fijarlas muy cerca del pompón con el alicate de puntas redondas. Recorta las puntas que sobresalen con el alicate de corte diagonal (ilustración a).

4. Ya podemos empezar a enfilar el collar. Toma el alambre restante. Fíjate bien en el esquema: en él puedes ver cómo hay que doblar el alambre y el orden en el que hay que ensartar las cuentas.

5. Comienza con la pieza de alambre marcada en verde en el esquema. Desde una punta, mide 35 cm de alambre y dóblalo en forma de arco a esa altura. Pasa una mitad de la cinta de raso por dentro del arco (ilustración b).

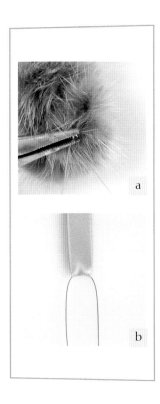

c

d

e

f

6. Ensarta ahora una de las cuentas de vidrio de color turquesa pequeña en los dos extremos del alambre y haz que quede muy pegada a la cinta de raso (ilustración c).

7. Ahora puedes ensartar el resto de cuentas como quieras. Es importante que ensartes a intervalos al menos una de las cuentas pequeñas para que el collar conserve su flexibilidad. Recuerda también que en esta sección debes ensartar dos pompones (ilustración d).

8. Cuando queden unos 10 cm del extremo más corto del alambre, separa los extremos. El extremo más corto quedará de momento sin usar.

9. Toma el extremo largo del alambre y ensarta las cuentas en el mismo orden que has seguido en el otro extremo. Recuerda que ahora ensartas al revés, es decir, no de atrás hacia delante sino de delante hacia atrás. Ten presente la simetría de las cuentas para que el efecto óptico final sea el deseado.

10. Ensarta también, como última pieza antes de la cinta de raso, una de las pequeñas cuentas de color turquesa.

11. Ahora debes doblar el alambre, formar un bucle y pasarlo de nuevo por las cuentas ya ensartadas. De este modo, la serie de cuentas estará reforzada por un doble alambre.

12. A continuación, toma la segunda cinta de raso, pásala por el bucle de la segunda sarta de cuentas y tensa todo lo que puedas el alambre.

13. En la parte delantera de la cadena tienes dos extremos de alambre, cada uno de unos 10 cm de largo. Ensarta el último pompón en ambos alambres y a continuación las cuentas restantes, a excepción del corazón.

14. Una vez más, el último elemento debe ser una de las cuentas pequeñas de color turquesa. A continuación hay que ensartar una chafa, doblar las puntas de los alambres para pasarlas por el orificio de la chafa y aplastarla con el alicate de punta redonda (ilustraciones e y f).

15. También puedes pasar una cuenta por encima para ocultar el cierre.

16. Fija ahora un bastón de alfiler a este bucle y une con él el colgante con el corazón al collar.

17. Por último, fija las dos piezas del cierre en los extremos de la cinta de raso. De este modo puedes determinar la longitud del collar. No cortes los extremos sobrantes de las cintas.

Cinto de corazón

TÉCNICA Y CONSEJOS

En nuestro cinto emplearemos sólo un corazón. Si quieres fabricar varios corazones, te hará falta para cada uno un retal de cuero y cuatro remaches. La aplicación de los remaches vendrá perfectamente explicada en el paquete que compres. Cada paquete de remaches o corchetes incluye las herramientas y las instrucciones necesarias para su uso. Lo más recomendable es que trabajes con una remachadora, ya que es lo más fácil y se evita el riesgo de que la pieza resbale.

Cuando abras los agujeros, lo mejor es poner una pieza gruesa de cuero bajo el retal que estés trabajando antes de usar el sacabocados. No sólo agiliza el proceso, sino que conserva el filo de la herramienta.

1. Empieza por dibujar la forma del corazón sobre un papel, del tamaño que desees. Marca directamente la ubicación de los cuatro remaches. Sitúalos en el centro de cada una de las mitades del corazón.

2. A continuación, coloca el patrón sobre el cuero rojo y recorta la silueta con tijera o cúter.

3. Coloca el corazón de papel sobre el corazón de cuero y marca con la tijera la ubicación de los remaches. Luego fija los remaches con ayuda del sacabocados.

4. Finalmente, pasa los dos cordones de cuero por los orificios de tal manera que el cordón pase por el envés del corazón y anuda los extremos. La mejor manera de lucir este cinto es llevarlo holgado sobre las caderas.

MATERIALES Y HERRAMIENTAS

2 cordones de cuero rojo (1,5 m de largo x 4 mm de ancho x 2 mm de grosor)
1 retal de cuero rojo (10 cm de largo x 10 cm de ancho x 3-4 mm de grosor)
4 arandelas de remache plateadas, Ø 5 mm
Sacabocados
Retal de cuero grueso
Tijera o cúter
Martillo o remachadora
Papel y lápiz

Cinturón

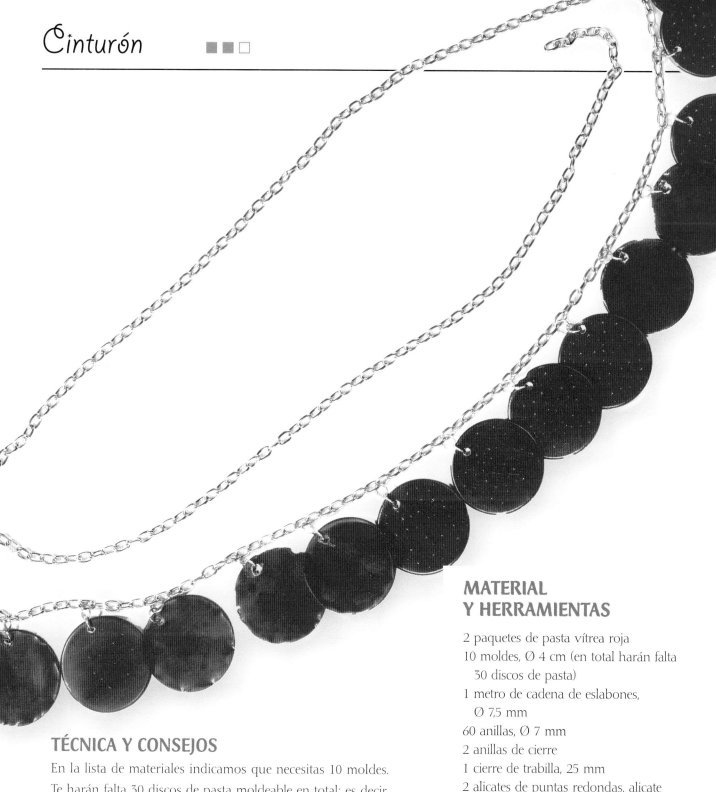

MATERIAL Y HERRAMIENTAS

2 paquetes de pasta vítrea roja
10 moldes, Ø 4 cm (en total harán falta
   30 discos de pasta)
1 metro de cadena de eslabones,
   Ø 7,5 mm
60 anillas, Ø 7 mm
2 anillas de cierre
1 cierre de trabilla, 25 mm
2 alicates de puntas redondas, alicate
   de corte diagonal
Taladro con broca fina
Lima y estropajo de cocina

TÉCNICA Y CONSEJOS

En la lista de materiales indicamos que necesitas 10 moldes.
Te harán falta 30 discos de pasta moldeable en total; es decir,
tendrás que hacer tres tandas de horno. También puedes
comprar 30 moldes y hornearlos todos a la vez. En función
de la talla, puede también arrollarse la cadena en torno a la
cintura: el cierre puede engancharse en cualquier eslabón.

1. Llena dos tercios de los moldes con la pasta y ponlos en el horno a 180° durante 30 minutos. Deja que se enfríen y lima los bordes. A continuación, frota los discos con el lado rugoso del estropajo para darles un tono mate. Prepara en total 30 discos.

2. Taladra con mucho cuidado y velocidad mínima un agujero en cada uno. Deja unos 2 mm de margen con el borde. Con ayuda de los dos alicates de puntas redondas pasa una anilla por cada agujero, y otra anilla por la primera. No cierres todavía la segunda anilla. Al abrir y cerrar las anillas procura no doblarlas lateralmente, sino siempre sobre un mismo plano. De este modo, la forma permanecerá estable.

3. Toma ahora la cadena y acórtala a tu medida con el alicate de corte diagonal.

4. Une las segundas anillas a la cadena, a intervalos de seis eslabones. Procura utilizar siempre los eslabones verticales, como se muestra en la imagen izquierda. De este modo, la cadena no puede retorcerse.

5. Fija ahora con el alicate las anillas de cierre a los extremos de la cadena, pero no las cierres todavía.

6. Finalmente, añade las dos piezas de cierre y cierra las anillas.

MATERIALES Y HERRAMIENTAS

20 cm aprox. de hilo de nailon, Ø 0,25 mm

12 cuentas de vidrio tallado Swarovski® rosas, Ø 6 mm

9 cuentas de vidrio tallado Swarovski® lilas Ø 6 mm

12 cuentas de rocalla negras, Ø 2,6 mm

10 cm aprox. de alambre

2 chafas

Pegamento (opcional)

Colgador de adornos para móvil (autoadhesivo) negro

1 cierre de mosquetón, 10 mm

1 anilla, Ø 6 mm aprox.

Alicate de corte diagonal y alicate pequeño de puntas redondas

TÉCNICA Y CONSEJOS

Al principio, crear este patrón resultará complicado. Nuestro consejo es que experimentes primero con esta técnica. No olvides que el hilo de nailon ha de pasar dos veces (una por cada lado) por las cuentas que unen entre sí las distintas «flores». Sólo así se estabilizará el patrón y adoptará automáticamente la forma deseada. ¡Observa con atención las ilustraciones! En ellas verás cómo debes ensartar el hilo.

1. Fija un extremo del hilo de nailon con un nudo y ensarta a continuación, alternándolas, cuatro cuentas Swarovski® rosadas y cuatro cuentas de rocalla negras (ilustración a).

2. Pasa ahora el hilo en dirección contraria por dos cuentas negras y una cuenta Swarovski® rosada.

3. A continuación, ensarta alternativamente una cuenta Swarovski® lila, una cuenta negra, una cuenta Swarovski® rosada, una cuenta negra y otra cuenta Swarovski® lila (ilustración b).

4. Después, pasa el hilo por las dos cuentas que están junto al elemento que ahora se sostiene por dos hilos.

5. Repite los pasos 3 y 4 hasta formar una cruz (ilustración c).

6. Cierra el círculo: pasa el hilo por las cuatro cuentas Swarovski® rosadas exteriores y por las cuentas de rocalla, ensartando en los espacios que resultan ahora visibles otra cuenta Swarovski® rosada más (ilustración d).

7. Anuda, a continuación, los dos extremos del hilo de nailon y fíjalos con pegamento.

8. Toma el alambre y pásalo por una de las cuentas Swarovski®. Ensarta una chafa, una cuenta Swarovski® lila y otra chafa. Lleva ahora cada uno de los extremos del hilo hasta las chafas y fíjalos en ellas.

9. En el bucle más corto del final hay que fijar una anilla, que servirá para unir el colgante al colgador del móvil.

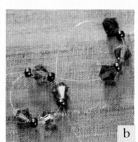
a

b

c

d

MATERIALES Y HERRAMIENTAS

72 cuentas de vidrio tallado negras, Ø 7 mm

72 cuentas de vidrio tallado rojas iridiscentes, Ø 7 mm

72 cuentas de vidrio tallado transparentes, Ø 7 mm

Aprox. 100 cuentas de vidrio tallado transparentes iridiscentes, Ø 10 mm

Aprox. 50 cm de hilo de nailon, Ø 0,5 mm

Aprox. 3 m de hilo de nailon, Ø 0,25 mm

Retal de tela (color al gusto)

Madeja de hilo de ganchillo para pañuelos, a juego con la tela

Aprox. 25 cm cinta de fliselina, ancho: 1 cm, para pegar con plancha

Pegamento

Aguja de ganchillo del 0,75

Aguja de coser, plancha y tijera

Así se enfilan las cuentas. Luego hay que hacer un nudo en el extremo y fijarlo con pegamento.

TÉCNICA Y CONSEJOS

El bolsito para el móvil está compuesto por dos piezas: la parte delantera (hecha con cuentas minuciosamente entrelazadas para garantizar la estabilidad) y la parte trasera (de tela, reforzada con fliselina y ganchillo). Un grueso hilo de nailon con cuentas ensartadas une ambas piezas y sirve al mismo tiempo de asa. Si el hilo para la malla de cuentas resulta insuficiente, bastará con anudarle una pieza suplementaria y fijarla con pegamento.

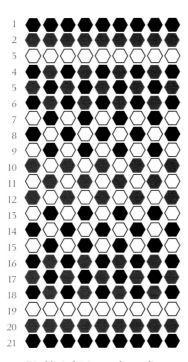

EL dibujo básico puede ampliarse en función del tamaño del móvil.

1. Ensarta 9 cuentas negras en el hilo delgado de nailon.

2. Para la segunda hilera, ensarta la primera cuenta roja y pasa de nuevo el hilo desde la izquierda por la última cuenta negra de la primera hilera. A continuación, pásalo de nuevo por la cuenta roja. Luego ensarta la segunda cuenta roja.

3. A partir de ahora, cada nueva cuenta enfilada se atará a la cuenta inmediatamente inferior: para ello, habrá que pasar el hilo de nailon por ambas. Sigue con atención el modelo que aparece a la izquierda. Al final tendrás que anudar el hilo, esconder el cabo en la última cuenta y fijarlo con algo de pegamento.

4. Para los diestros es recomendable darle la vuelta a la malla para poder seguir enfilando de derecha a izquierda. Para los zurdos, el proceso es el opuesto.

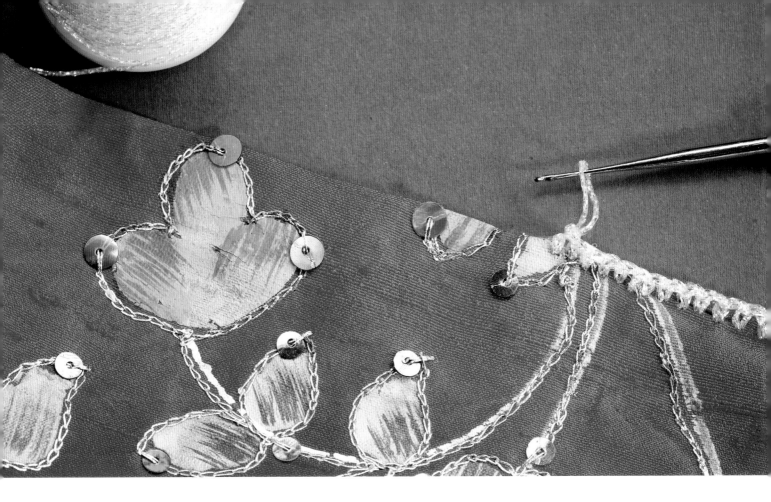

5. Ya está hecho lo más difícil. Para la parte posterior de tela necesitaremos un retal de 11 x 17 cm de tela a tu gusto.

6. Primero hay que marcar con la plancha un dobladillo a 1 cm del borde. Coloca la cinta de fliselina sobre éste y plancha de nuevo el dobladillo. Ya tienes un borde estable de 1 cm de ancho.

7. Toma ahora la aguja de ganchillo y haz un dibujo sencillo sobre la tela, como se ve en la fotografía.

8. Procura que las cuentas, el retal y el hilo de labor conjunten bien. Quieres que el bolso del móvil sea la envidia de todos, ¿verdad?

9. Finalmente, habrá que unir la malla de cuentas con la tela. Para ello nos hará falta el hilo de nailon de 50 cm de largo y 0,5 mm de grosor, las cuentas más gruesas y la aguja de coser. El hilo lo usaremos luego como asa.

10. Pon ambas piezas una junto a otra, enhebra el hilo y da una puntada en la tela. ¡Empieza por el lado largo! Enfila una cuenta en el hilo y da una puntada en la malla de cuentas (véanse ilustraciones y esquema).

11. Repite el paso 10 hasta que los laterales y el fondo del bolso estén cerrados. La parte superior permanece abierta, naturalmente.

12. Ya sólo falta el asa. Aprovecha el extremo sobrante del hilo grueso de nailon y ensarta las restantes cuentas de vidrio en él. Tendrás que anudar la punta en el otro lado del bolso y fijarla con pegamento. Cuantas más cuentas emplees, más larga será el asa.

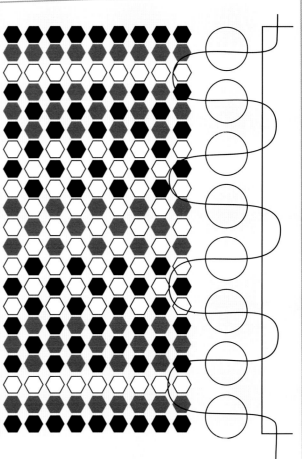

Bolso

MATERIALES Y HERRAMIENTAS

1 madeja de lana para fieltro azul
    turquesa
1/2 madeja de lana para fieltro burdeos
1/4 madeja de lana para fieltro de color
    crudo
1/4 madeja de lana para fieltro lila
1/4 madeja de lana para fieltro naranja
1/4 madeja de lana para fieltro verde
    musgo
Plástico de embalaje, 25 x 30 cm
    (tienda de bricolaje)
1 bola de madera, Ø 2 cm, adornada
    con cuentas de rocalla anaranjadas
    (tienda de manualidades)
Alfombrilla de caucho
Gasa, pulverizador
Cuenco con agua caliente
Jabón de aceite de oliva o de piedra
Aguja de coser y cúter

TÉCNICA Y CONSEJOS

El bolso que vas a hacer consta de una sola pieza y su confección es bastante entretenida. Cada una de sus partes debe ser trabajada a cuatro niveles. Procura que durante el afieltrado el plástico de embalaje no se desplace, porque con él separas la parte delantera de la trasera. Puedes controlarlo metiendo los dedos en el bolso y rectificando la posición del plástico. Los extremos sobresalientes de las fibras deben permanecer secos durante el «enjabonado». Más adelante servirán de nexo entre la parte delantera y la trasera, y si se mojan, luego no podrán unirse a las demás fibras.

1. Empecemos por el asa: extiende un tercio de la lana esmeralda en toda su longitud. Toma la tira así obtenida y separa los 15 cm del principio y del final en dos cabos. Déjalos como están: todavía no vamos a afieltrarlos.

2. Enrolla ahora la parte intermedia en seco sobre la alfombrilla hasta que las fibras se apelmacen (ilustración a). Añade un poco de agua y jabón y sigue enrollando. Procura que el grosor de la lana se mantenga constante. Sigue abatanando la lana y enjuaga el jabón cuando hayas alcanzado la consistencia deseada.

3. Vamos ahora con el bolso: redondea los bordes del plástico de embalaje y a 18 cm del borde inferior (ancho: 25 cm) recorta un semicírculo a ambos lados (ilustración b).

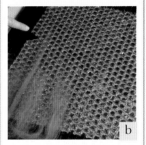

4. Pon, a continuación, la primera capa de los colores básicos esmeralda y burdeos cada uno sobre una mitad del trozo de plástico de embalaje de 18 x 25 cm. Esta primera capa la extenderemos a lo largo. Deja que la lana sobresalga unos 2 cm del borde inferior (ilustraciones b y c).

5. Ahora colocamos la segunda capa de los mismos colores en ángulo recto con la primera, y dejamos que la lana sobresalga 2 cm a izquierda y derecha (ilustración d).

6. Repite los pasos 4 y 5 para la solapa, sólo que en esta ocasión los bordes no pueden sobresalir, sino que los doblaremos sobre el borde mismo para formar un bucle que repose sobre la lana (ilustración d).

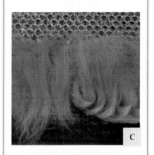

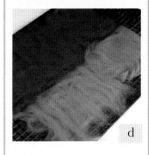

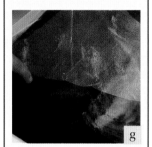

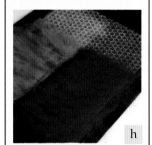

11. Toma el asa y pon los extremos retorcidos sobre las incisiones del plástico. En ambos lados, coloca uno de los dos cabos de 15 cm en diagonal sobre la cara delantera del bolso (ilustración l).

7. Pon ahora la gasa sobre la lana y humedécelo todo. Moja los dedos en el agua jabonosa y pásalos por la lana hasta que comience a afieltrarse. Entonces puedes aplicar algo más de presión. Cuando el material esté lo suficientemente firme, retira con cuidado la gasa y dale la vuelta a todo (ilustraciones e, f y g).

8. Repite los pasos 4, 5 y 6. Una única diferencia: para la cara delantera formaremos los bucles sobre el reborde superior, para tener aquí también un borde más firme (ilustración h).

9. Vuelve a poner la gasa sobre la tela. Salpica la bolsa con agua tibia y frótala suavemente con los dedos, que antes habrás humedecido en el agua jabonosa. Cuando la lana empiece a afieltrarse, aplica mayor presión con la palma de las manos (ilustraciones i y j).

10. Mete ahora los bordes del bolso en la gasa, enróllalos con cuidado hacia dentro y aprieta con suavidad (ilustración k). Así se apelmazarán las últimas fibras. ¡Vigila siempre que la hoja de plástico siga en la posición correcta!

12. Ahora continuamos con las capas 3 y 4 del bolso: dispón a lo largo las fibras despeluzadas de los restantes colores en franjas de aproximadamente la misma anchura sobre la cara delantera de la bolsa. Deja que los extremos inferiores sobresalgan 2 cm y forma bucles con los del borde superior. Deshila ahora fibras cortas de los mismos colores (o si quieres, con una franja de otro color que combine) y colócalas cruzadas sobre las correspondientes franjas a lo largo. El conjunto cubre y fija el hilo del asa en la cara delantera (ilustraciones m y n).

13. Vuelve a poner la gasa sobre el fieltro y repite el paso 9.

k

14. Retira con cuidado la gasa y dale la vuelta a todo. Toma ahora los dos cabos aún libres del asa y colócalos en diagonal sobre la cara posterior del bolso. Repite los pasos 12 y 13 para terminar el lado trasero (ilustración o).

15. Cuando el bolso haya acabado de compactarse, usa la gasa para enrollarlo y desenrollarlo un par de veces con cuidado de arriba abajo. Repite el proceso de izquierda a derecha. Así, el material puede afieltrarse sin perder su forma. ¡Enrolla siempre en paralelo a la forma original, nunca en diagonal! Comprueba de vez en cuando que la gasa no se ha pegado a la lana. En caso de ser así, sepárala (ilustración p).

16. Cuando el plástico empiece a plegarse significa que la bolsa encoge. Eso indica que se ha alcanzado el grado de afieltramiento necesario. Enjuaga el jabón con agua caliente y abatana con fuerza el bolso. ¡El plástico debe seguir dentro!

17. Para finalizar, puedes estirar un poco el bolso para que recupere la forma y retirar el plástico. Enrolla el bolso en una toalla de rizo para que acabe de secarse.

18. Cuando el bolso esté completamente seco, abre con el cúter un ojal en la parte delantera. Ten cuidado y corta poco a poco hasta alcanzar el tamaño de abertura deseado. Ya sólo tienes que coser a la bolsa la bola de madera.

l

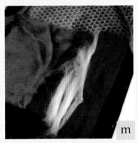

m

n

o

p

CUARTA PARTE

Crea tu propia bisutería...

... Apéndice

Proveedores

Lo más fácil y personal es comprar los materiales necesarios en una tienda especializada en bisutería y manualidades. Allí podrás ver de cerca los colores y tocar los materiales, te aconsejarán personalmente y podrás encontrar nuevas inspiraciones.

Sin embargo, internet ofrece también numerosas posibilidades. A continuación reseñamos algunas direcciones desde las que se ofrece la venta en línea de materiales para manualidades:

www.manualidadesybellasartes.es
Manualidades y Bellas Artes On Line S. L. es una empresa familiar española dedicada a la venta de materiales de manualidades, bisutería y abalorios, bellas artes y punto de cruz.

www.vilmastoned.com
Desde esta página podrás comprar y encargar cómodamente todo el material que desees.

www.vidrets.com
Este sitio está dedicado a la venta al por mayor y al por menor de componentes para la bisutería.

Nuestras propuestas

Pulseras y collares

Pulsera de colgantes, pág. 38

Collar de cuentas, pág. 34

Pulsera personalizada, pág. 50

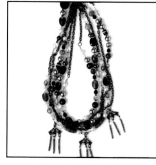

Collar antiguo, pág. 53

Pulsera oriental, pág. 72

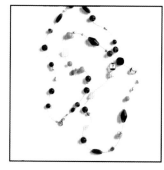

Collar de cuentas azules, pág. 68

Collar de turquesas con lazo de raso, pág. 74

Anillos, pendientes y cintos

Anillo de flores,
pág. 42

Pendientes Swarovski®,
pág. 60

Anillo de granates y perlas
cultivadas, pág. 70

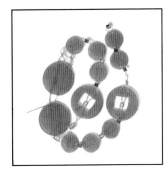

Cinto naranja,
pág. 62

Pendientes de cuentas,
pág. 34

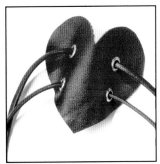

Cinto de corazón,
pág. 77

Aros dobles con discos de
nácar, pág. 48

Cinturón,
pág. 78

Adornos para el pie y accesorios

Tobillera de corazones,
pág. 40

Colgante para el móvil,
pág. 80

Tobillera Mil y una noches,
pág. 65

Bolso para el móvil,
pág. 82

Racimo de cuentas,
pág. 44

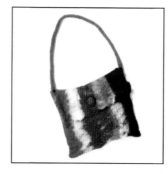

Bolso,
pág. 86

Peineta de libélulas,
pág. 56

Según grado de dificultad

Créditos fotográficos:

Todas las fotografías pertenecen a Ruprecht
Stempell (Colonia), excepto:

Corbis: Burstein Collection (7), Roger Wood (8),
Hugh Siton/zefa (9), Summerfield Press (10, 11
arriba), Bettmann (11 abajo), Tanguy Loyzance
(13), Henry Diltz (14)

AFP/AFP/Getty Images (12)